MANUEL DE L'ÉLÈVE **2**
VOLUME B

Clicmaths

1er cycle du primaire

Denise Charest
Monique Trépanier-Paquette

Éditions HRW
Groupe Éducalivres inc.
955, rue Bergar, Laval (Québec) H7L 4Z6
Téléphone : (514) 334-8466 ■ Télécopieur : (514) 334-8387
Internet : http://www.educalivres.com

Remerciements

Pour son travail de vérification scientifique de la didactique et du contenu mathématique, l'Éditeur témoigne sa gratitude à M. Jean-Marie Labrie, Ph. D., ex-professeur à la Faculté d'éducation de l'Université de Sherbrooke.

Pour sa participation et son soutien de tous les instants, l'Éditeur tient à remercier M. Pierre Mathieu, conseiller pédagogique en mathématique, Commission scolaire de Saint-Hyacinthe.

Pour leurs suggestions et leurs judicieux commentaires à l'une ou l'autre des étapes du projet, l'Éditeur tient à remercier les personnes suivantes.

M. Jean-Claude Bardier, enseignant;
Mme Anne-Sophie Bodart, enseignante, École Saint-Jean-Baptiste-de-la-Salle, C. s. de Montréal;
Mme Hélène Boisvert, enseignante, École Saint-Joseph, C. s. de l'Énergie;
Mme Jeannine Boisvert, consultante en didactique;
Mme Claire Brochu, enseignante, École Sainte-Anne, C. s. de la Région-de-Sherbrooke;
Mme Danielle Bruneau, enseignante, Les-Enfants-du-Monde, C. s. de Montréal;
Mme Solange Carrier, enseignante, École Marguerite-D'Youville, C. s. des Découvreurs;
Mme Michelle David, enseignante, École Vanier, C. s. des Rives-du-Saguenay;
M. Joseph-Antoine Duchesne, enseignant, École Sacré-Cœur, C. s. de la Capitale;
Mme Marlène Duchesne, enseignante, École Du Vallon, C. s. des Draveurs;
Mme Huguette Dufour, enseignante, École Marguerite-Belley, C. s. De La Jonquière;
Mme Danielle Girard, enseignante, École des Roseraies, C. s. de la Pointe-de-l'Île;
Mme Johanne Hébert, enseignante, École de l'Auberivière, C. s. des Navigateurs;
M. Pierre Lavallée, enseignant;
Mme Nicole Nobert, enseignante, École Saint-Charles-Garnier, C. s. du Chemin-du-Roy;
M. Marcel Robillard, enseignant et chargé de cours en didactique à l'U. de M., École la Perdriolle, C. s. des Trois-Lacs;
Mme Johanne Thériault, enseignante, École du Boisjoli, C. s. de la Région-de-Sherbrooke;
Mme Hélène Thiffault-Carrière, enseignante, École Sainte-Lucie, C. s. de Montréal.

Illustrations : Jean Morin
Photographie de la page de couverture : Insectarium de Montréal (papillon)

Ce livre est imprimé sur du papier Opaque nouvelle vie, au fini satin et de couleur blanc bleuté. Fabriqué par Rolland inc., Groupe Cascades Canada, ce papier contient 30 % de fibres recyclées de postconsommation et n'est pas blanchi au chlore atomique.

CODE PRODUIT 2841
ISBN 0-03-927984-7
Dépôt légal — 1er trimestre
Bibliothèque nationale du Québec, 2001
Bibliothèque nationale du Canada, 2001

Imprimé au Canada
1 2 3 4 5 6 7 8 9 IE 9 8 7 6 5 4 3 2 1

TABLE DES MATIÈRES

ÉTAPE 7

Bien dans la nature!

Bien dans ma peau!

Bien avec les autres!

ÉTAPE 8

En alerte

En forme et en santé

En collaboration

Projet

LES PICTOGRAMMES DE *CLICMATHS*

Je vais voir ma démarche de résolution de problème sur la page de couverture, à la fin du livre.

J'utilise ma trousse de manipulation.

J'illustre, je représente ou je note dans mon cahier de mathématique.

J'explique et je discute.

Je relève un défi.

Je travaille sur la feuille que mon enseignante ou mon enseignant me remet.

ÉTAPE 7

La fondue au chocolat

Je veux partager ces fruits en parties équivalentes avec Beauflocon, Sapinette et Conifère.

Comment Solineige peut-elle partager tous ces fruits en parties équivalentes avec ses invités ?

Je m'entraîne

Lorsque tu partages un tout en deux parties équivalentes, chacune des parties se nomme un demi ou une moitié.

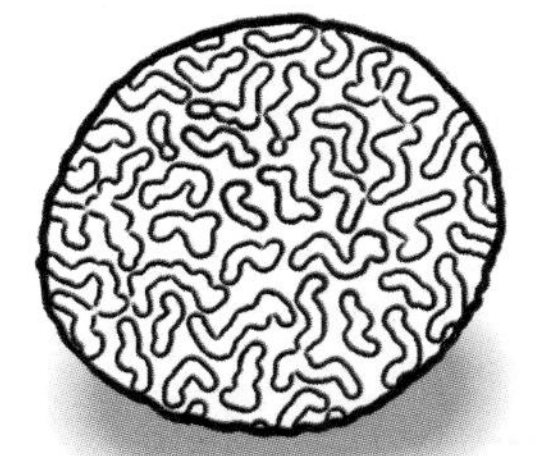

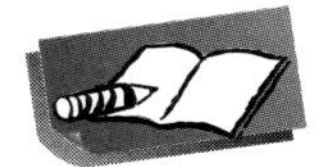

1 **a)** En combien de parties équivalentes Solineige doit-elle partager le cantaloup ?

b) Dessine le cantaloup et colorie la part de Solineige en bleu et celle de Beauflocon en rouge.

c) Écris la fraction que représente chacune des parties.

2 Sur la feuille qu'on te remet, découpe les figures planes suivantes.

1) 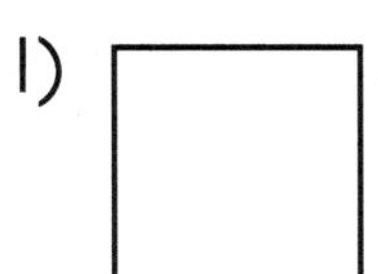 2) 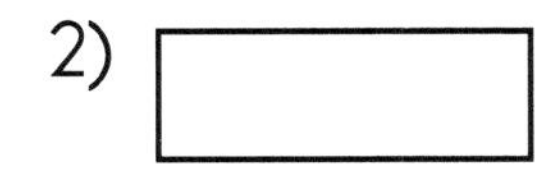 3)  4) 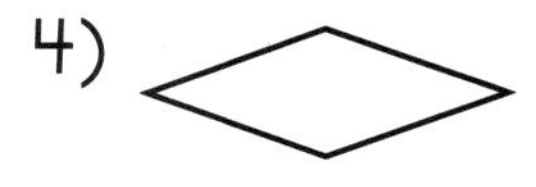

a) Partage-les en demis de différentes façons, en les pliant.

b) Colorie un demi de chacune des figures.

3 Place un jeton sur les figures partagées en demis.

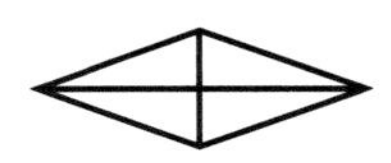 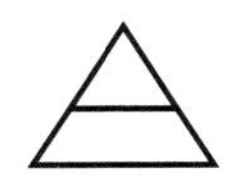 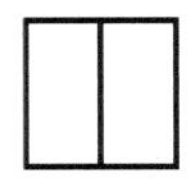 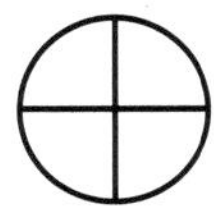 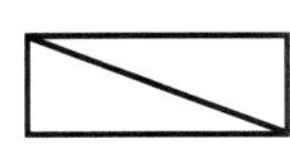 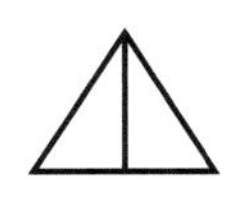

Lorsque tu partages un tout en quatre parties équivalentes, chacune des parties se nomme un quart.

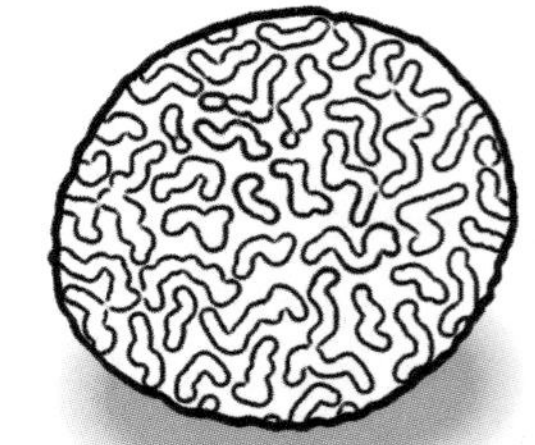

a) En combien de parties équivalentes Solineige doit-elle partager le cantaloup ?

b) Dessine le cantaloup et colorie la part de chacun et de chacune en utilisant des couleurs différentes.

c) Quelle fraction chacune des parties représente-t-elle ?

5 Sur la feuille qu'on te remet, découpe les figures planes suivantes.

1) 

2) 

3) 

4) 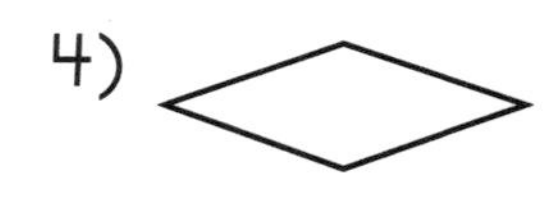

a) Partage-les en quarts de différentes façons, en les pliant.

b) Colorie le quart de chacune des figures.

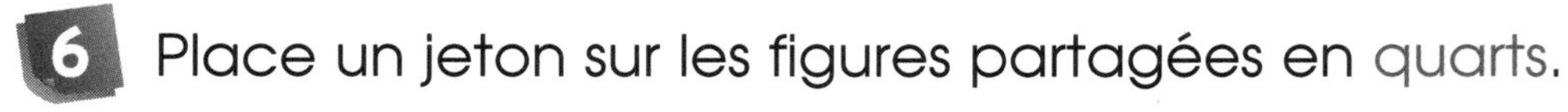

6 Place un jeton sur les figures partagées en quarts.

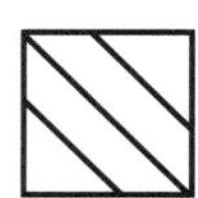
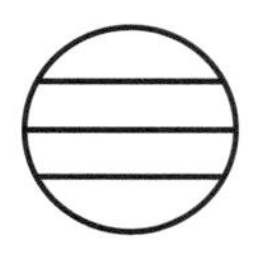

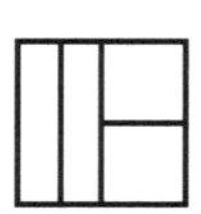
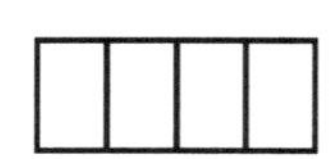

Je suis capable

a) Partage les biscuits de Beauflocon en parties équivalentes

1) pour deux personnes;

2) pour quatre personnes.

b) Illustre tes réponses.

c) Compare tes réponses avec celles de tes camarades.

Clic

En mathématique, on appelle fraction une partie d'un tout.

1) Lorsqu'on partage un tout en deux parties équivalentes, chacune des parties se nomme un demi $\left(\frac{1}{2}\right)$.

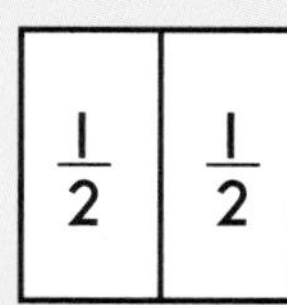

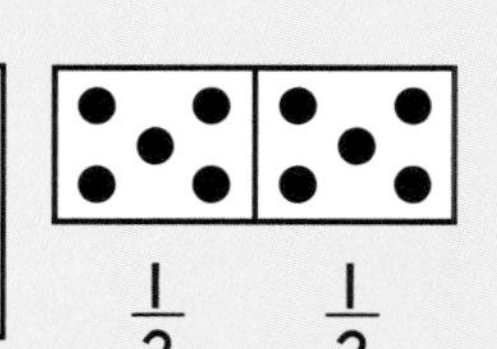

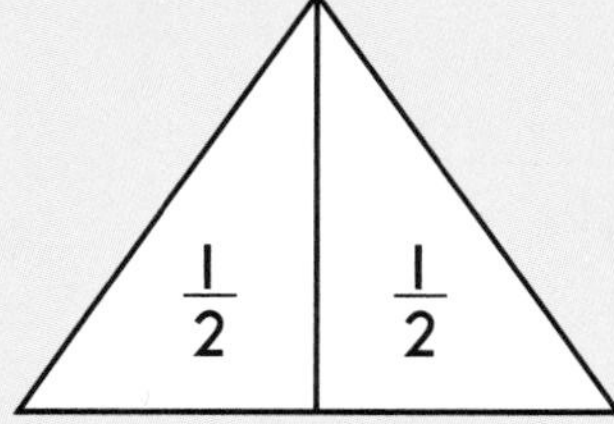

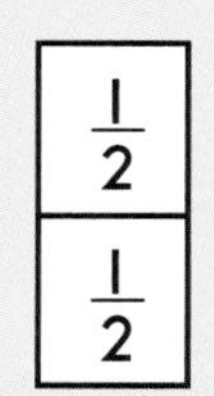

2) Lorsqu'on partage un tout en quatre parties équivalentes, chacune des parties se nomme un quart $\left(\frac{1}{4}\right)$.

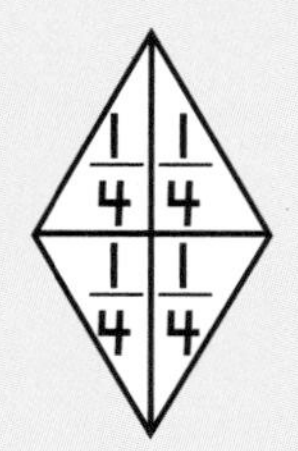

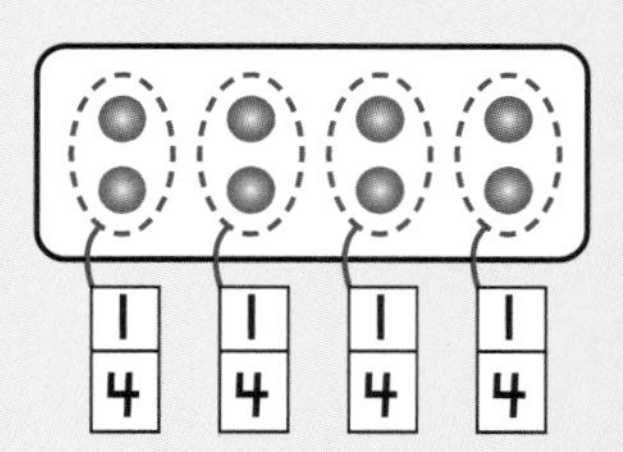

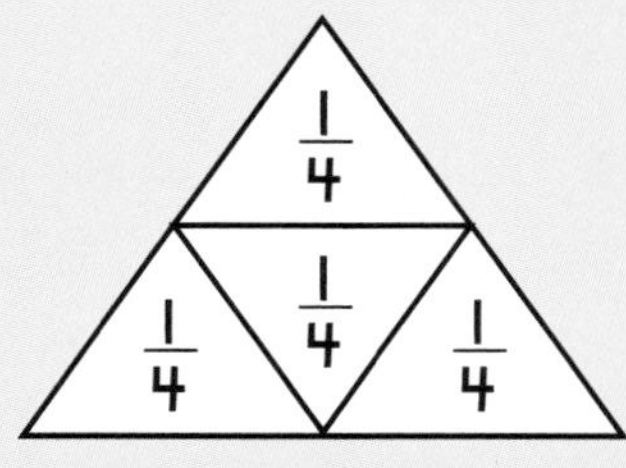

Je réinvestis

1 a) Combien de biscuits chaque frileux aura-t-il ?

b) Représente ta démarche.

2 Combien de centimètres mesure le quart $\left(\frac{1}{4}\right)$ de cette ligne ?

0 1 2 3 4 5 6 7 8 9 10 11 12

Le savais-tu ?

Il y a longtemps, en Égypte, les gens écrivaient sur des feuilles fabriquées à partir d'une plante nommée papyrus. En observant ce qu'ils ont écrit, on a découvert que ce peuple se servait de fractions pour calculer, entre autres, la ration quotidienne de pain des travailleurs et des travailleuses.

Dans ma vie

Ce que j'ai appris peut m'aider à partager mon gâteau d'anniversaire en parties équivalentes avec mes invités et invitées.

Et toi ?

Des animaux fantaisistes

De quelle façon tracerais-tu ces animaux sur du papier pointillé ?

Je m'entraîne

1 Voici un ensemble de solides.

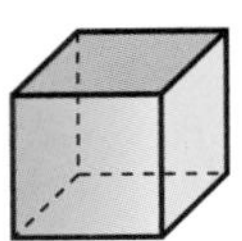
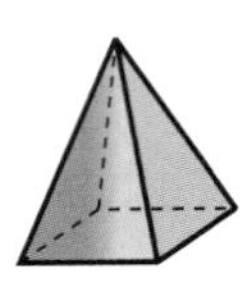
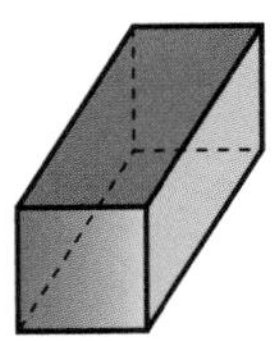
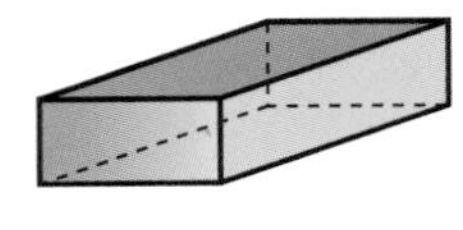
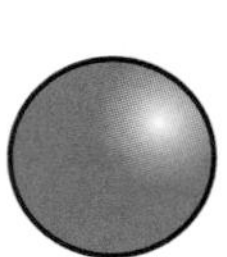

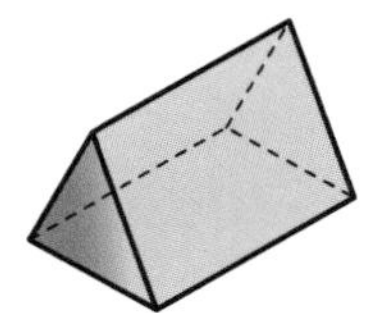
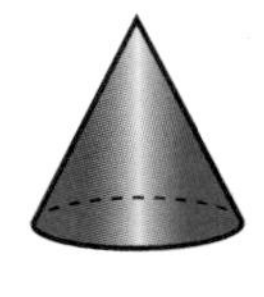

a) Place un jeton sur les solides dont l'une des faces est un

1)  ; 2)  ; 3) ; 4) 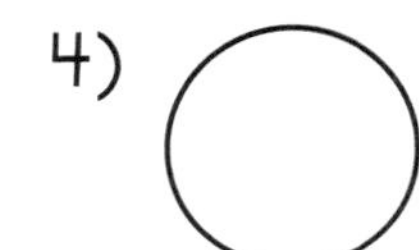.

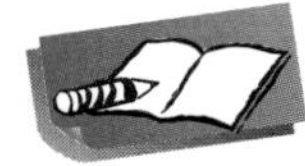

b) Écris le nom des solides qui ont une face courbe.

2 Utilise du papier pointillé.

a) Trace un grand carré.

b) Trace des carrés
à l'intérieur et à l'extérieur
de ce grand carré.

3 **a)** Dessine une niche
pour le chien Carambole
en reliant des points
sur du papier pointillé.

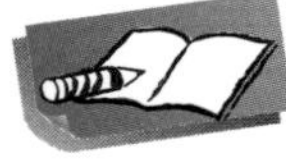

b) Quelles figures planes as-tu utilisées ?

Observe la mosaïque ci-dessous.

a) Combien de carrés observes-tu ?

b) Combien de rectangles observes-tu ?

c) Combien de triangles observes-tu ?

Découpe toutes les pièces de la mosaïque sur la feuille qu'on te remet.

a) Avec deux pièces, forme un carré.

b) Avec six pièces, forme un rectangle.

c) Avec trois pièces, forme un rectangle.

d) Avec trois pièces, forme un carré.

e) Avec quatre triangles, forme un rectangle.

f) Avec différentes pièces, construis un animal imaginaire.

Je suis capable

a) Sur du papier pointillé et en utilisant des figures planes, compose une mosaïque qui a la forme d'un carré.

b) Trace de nouveau ta mosaïque sur du papier pointillé et découpe les pièces.

c) Demande à un ou à une camarade de reconstruire ta mosaïque.

Le savais-tu ?

En mathématique, l'étude des figures et des solides se nomme la **géométrie.** Il y a plus de 2000 ans, le mathématicien grec **Euclide** a publié de nombreuses informations sur la géométrie et les nombres.

Clic

Voici des attributs de quelques figures planes.

Dans un carré, les quatre côtés sont isométriques, c'est-à-dire qu'ils sont de même mesure.

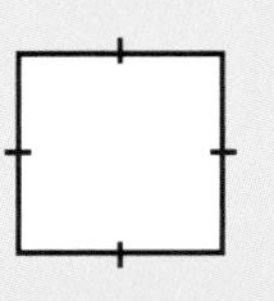

Dans un rectangle, les côtés opposés sont isométriques, c'est-à-dire qu'ils sont de même mesure.

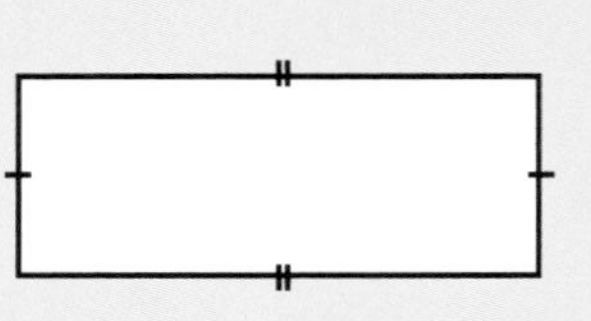

Dans un triangle, il y a trois côtés, qui ne sont pas nécessairement de même mesure.

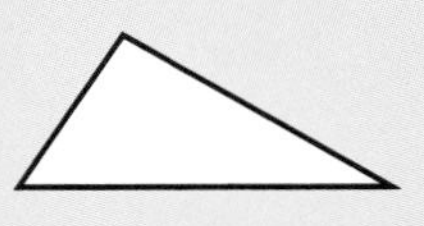

Dans un losange, les quatre côtés sont isométriques, c'est-à-dire qu'ils sont de même mesure.

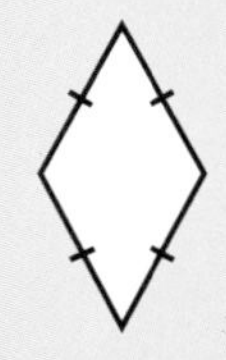

Je réinvestis

Sur la feuille qu'on te remet, découpe les figures planes.

a) Utilises-en pour compléter le corps ? de l'animal ci-dessous.

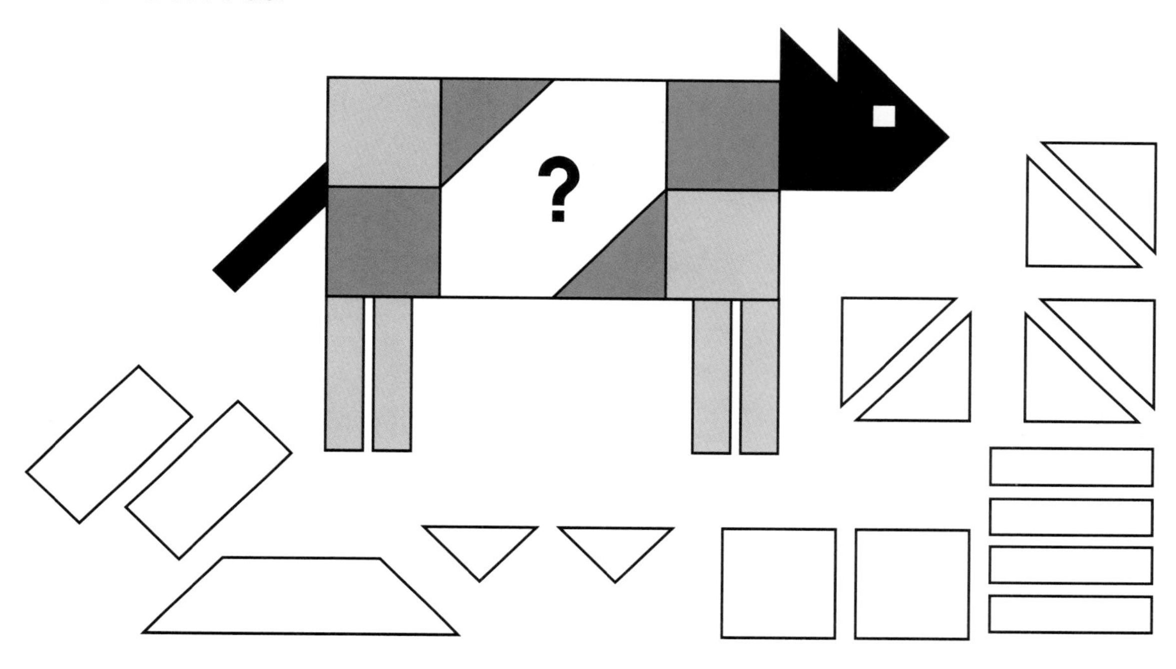

b) Place un jeton sur les figures que tu as utilisées.

Dans ma vie

Ce que j'ai appris peut me servir à construire des maisons en carton, des banderoles et des fanions.

Et toi ?

Sauve qui peut !

À quelle distance de sa tanière est le loup ?

Je m'entraîne

1 **a)** Sur les cases ☐ qui définissent la suite des bonds du kangourou, place un jeton rouge.

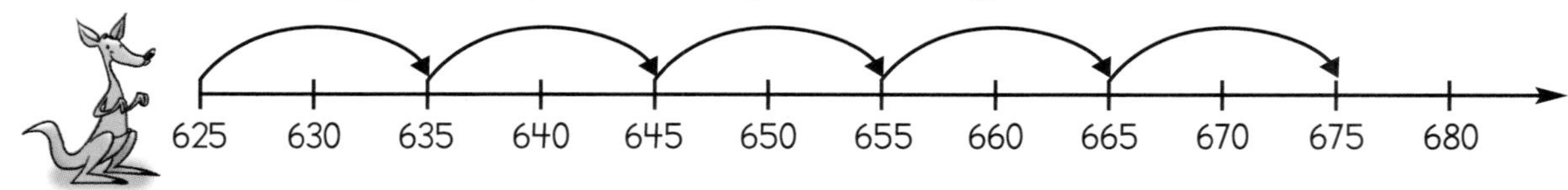

b) Sur les cases ☐ qui définissent la suite des bonds de la grenouille, place un jeton bleu.

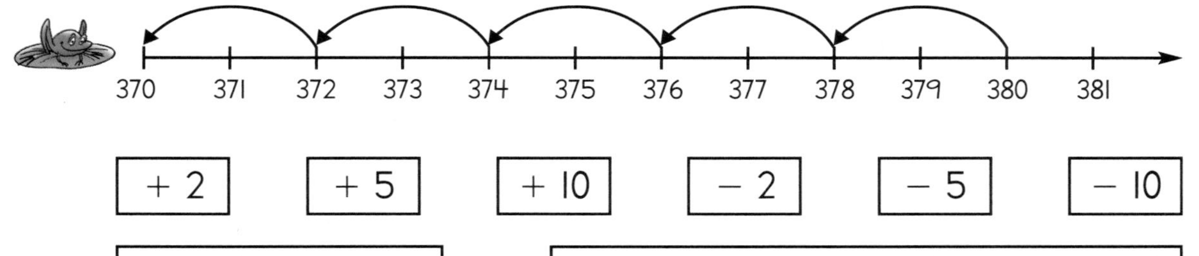

+ 2	+ 5	+ 10	− 2	− 5	− 10

Nombres pairs	Nombres naturels inférieurs à 400
Nombres impairs	Nombres naturels supérieurs à 400

2 Observe les droites numériques suivantes.

1)

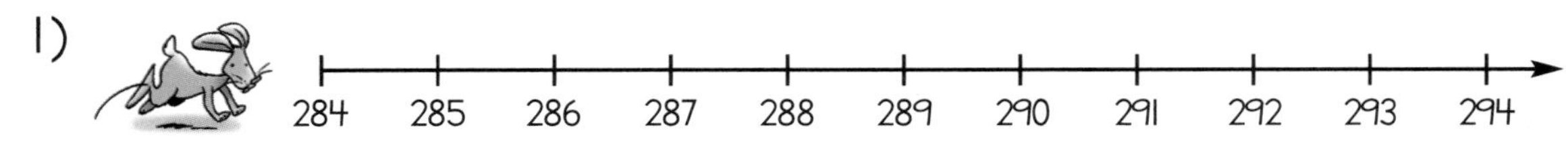

2)

a) Écris une suite de nombres pairs.

b) Écris une suite de nombres impairs.

c) Écris la régularité de chacune de tes suites.

3 Utilise le code ci-dessous pour trouver le nombre d'arbres que l'on s'apprête à planter dans certains parcs.

Code

A	B	C	D	E	F	G	H	I	J
0	1	2	3	4	5	6	7	8	9

K	L	M	N	O	P	Q	R	S
10	20	30	40	50	60	70	80	90

T	U	V	W	X	Y	Z
100	200	300	400	500	600	700

Parcs	Lettres du code	Nombre d'arbres	Nombre juste avant	Nombre juste après
Parc du Castor	XMJ			
Parc de l'Orignal	UPA			
Parc aux Lièvres	WAA			
Parc des Aigles	TSJ			
Parc aux Renards		674		
Parc à la Perdrix				382

a) Remplis le tableau sur la feuille qu'on te remet.

b) Décompose les nombres de la troisième colonne.

c) Classe les nombres de la troisième colonne en nombres pairs et en nombres impairs.

Je suis capable

a) Choisis quatre nombres inférieurs à 700, mais supérieurs à 300.

b) Représente ces nombres en utilisant le code de la page 14.

c) Demande à un ou à une camarade de découvrir tes nombres.

Le savais-tu ?

Les Incas ont inventé le système du quipu pour représenter des nombres. Ils et elles faisaient des noeuds sur une cordelette. On utilisait ce système en Bolivie, en Équateur et au Pérou.

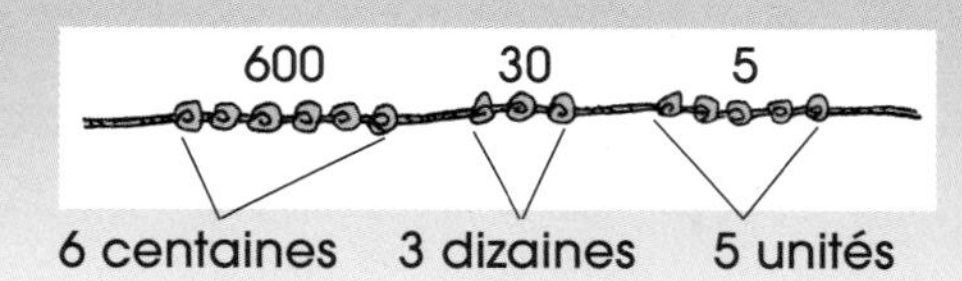

Représentation du nombre 635 (quipu péruvien)

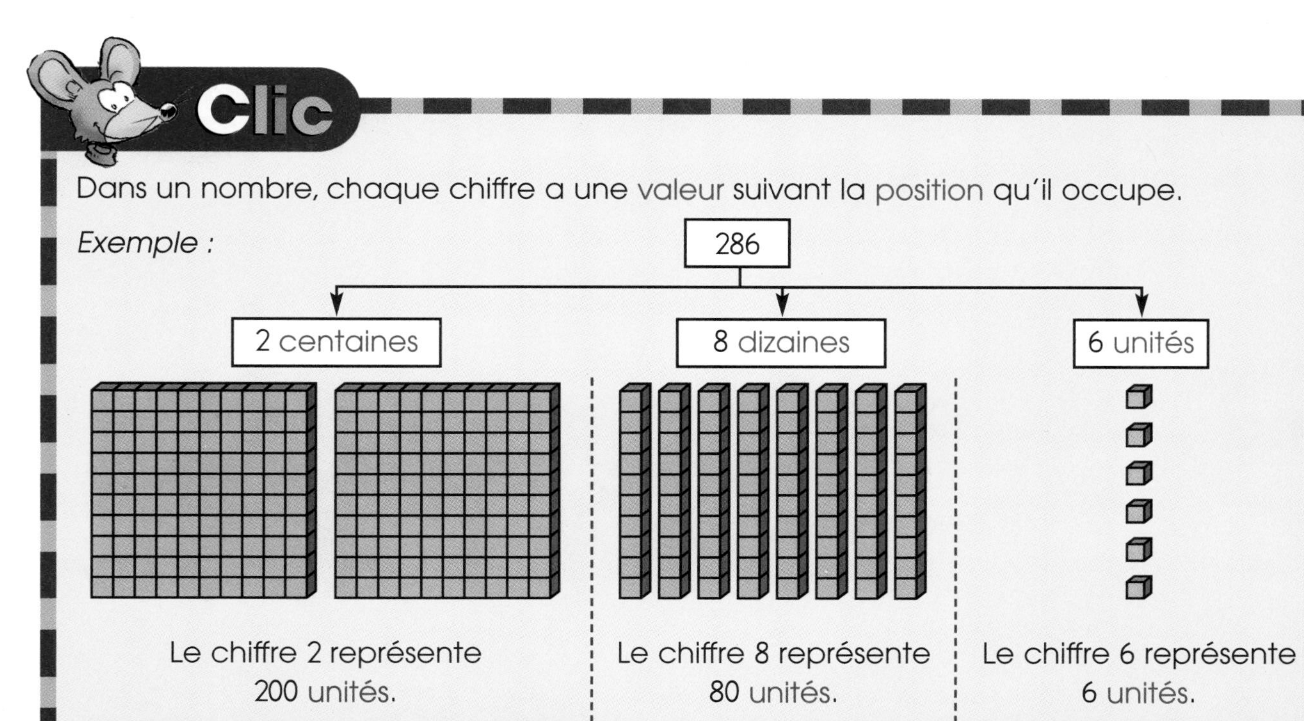

Clic

Dans un nombre, chaque chiffre a une valeur suivant la position qu'il occupe.

Exemple :

Le chiffre 2 représente 200 unités.

Le chiffre 8 représente 80 unités.

Le chiffre 6 représente 6 unités.

Je réinvestis

Place un jeton sur les réponses correspondant aux énoncés.

Avec les lettres non utilisées, tu découvriras qui est mon plus grand ennemi.

a) J'ai le chiffre 5 à la position des dizaines et la somme de mes chiffres est 16.

b) Je suis le plus grand nombre à deux chiffres.

c) Nous sommes des nombres supérieurs à 400 ayant chacun un même chiffre à la position des dizaines et des unités.

d) Je suis un nombre dont le chiffre 3 représente 3 dizaines.

e) Je suis le nombre qui représente 8 dizaines plus 13.

f) Je suis la somme des nombres 7, 60 et 100.

g) J'ai 4 dizaines, 5 unités et 6 centaines.

h) Nous sommes des nombres impairs ayant un 0 à la position des dizaines.

I	G	A	T
244	577	326	207
F	**N**	**B**	**U**
167	654	635	311
M	**J**	**E**	**K**
253	509	457	93
D	**L**	**H**	**C**
645	99	306	699

Mon ennemi pourrait devenir mon sauveur. Attention! Les lettres apparaissent dans le désordre.

Ce que j'ai appris peut me servir à faire la différence entre des nombres formés à partir des mêmes chiffres.

Et toi ?

Des voyages de toutes sortes

Un voyage en rêve

Découvre les nombres mystères pour connaître les rêves des enfants.

À quoi rêve chaque enfant ?

Je m'entraîne

1 Un voyage de pêche

Chaque jour, Benoît et son père ont le droit de pêcher 15 truites. Certains jours, ils pêchent deux fois. D'autres jours, ils y retournent une troisième fois, le soir.

Jour	Matin	Après-midi	Soir	Total
Lundi				15
Mardi				15
Mercredi				15
Jeudi				15
Vendredi				15
Samedi				15

a) Sur la feuille qu'on te remet, écris le nombre de poissons qu'ils ont pu prendre chaque fois.

b) Ont-ils pris plus de poissons le matin, l'après-midi ou le soir ?

c) Combien de poissons ont-ils pris au cours des six jours ?

2 Un voyage dans Internet

Dimanche, Laurence a navigué deux minutes dans Internet. Chaque jour de la semaine, elle navigue deux minutes de plus que la veille.

Pendant combien de minutes Laurence a-t-elle navigué

a) le vendredi ?

b) durant toute la semaine ?

3 Un voyage dans les livres

Marie-Ève a emprunté un livre à la bibliothèque de son école. Elle a lu 17 pages les samedis et 17 pages les dimanches du mois d'avril.

Jour	Matin	Après-midi	Égalités
Samedi	10	7	10 + 7 = 17
Dimanche	12		= 17
Samedi	8		= 17
Dimanche		11	= 17
Samedi	4		= 17
Dimanche	14		= 17
Samedi		1	= 17
Dimanche		15	= 17

a) Pour trouver combien de pages Marie-Ève a lues le matin et l'après-midi, remplis le tableau sur la feuille qu'on te remet.

b) Marie-Ève a-t-elle lu plus de pages le matin ou l'après-midi ?

c) À la fin du mois d'avril, Marie-Ève a terminé la lecture de son livre. Combien de pages a-t-elle lues en tout ?

4 Un voyage par le jeu

En faisant un parcours dans un labyrinthe, Giovanni a obtenu les points suivants : 80, 8, 5.

a) Combien de points Giovanni a-t-il obtenus en tout ?

b) Illustre ce résultat à l'aide de ton matériel de manipulation.

Je suis capable

a) Tu as 16 $. Si tu les dépenses entièrement,

1) quelles sont les deux poupées que tu achèterais ?

2) quelles sont les trois poupées que tu achèterais ?

3) quelles sont les quatre poupées que tu achèterais ?

b) Représente tes solutions.

c) Compare tes solutions avec celles de tes camarades.

La commutativité de l'addition

Dans une addition, l'ordre des termes n'a aucune importance. La somme sera la même peu importe l'ordre choisi.

Exemples : $7 + 9 = 16$ et $9 + 7 = 16$

$5 + 4 + 7 = 16$ et $7 + 5 + 4 = 16$

Je réinvestis

a) Calcule les sommes dans ces carrés de nombres pour vérifier s'ils sont magiques.

1)

8	1	6
10	5	7
4	9	2

2)

9	2	7
4	6	8
5	10	3

b) Quand dit-on qu'un carré est magique ?

Le savais-tu ?

Il y a environ 4000 ans, à la cour de Chine, un homme a montré un carré magique à l'empereur. Le carré était écrit sur le dos d'une tortue. L'homme croyait que la tortue était magique.

Ce que j'ai appris me permet de trouver

- le nombre de points qu'il me manque pour gagner la partie ;
- le nombre de cartes que je dois encore ramasser pour réussir un jeu.

Et toi ?

Certain... Possible... Impossible...

Tu as prévu les activités suivantes durant la semaine de relâche.

Activités	Oui	Non	Explication
1. Jouer à des jeux vidéo.			
2. Aller visiter tante Sophie.			
3. Patiner au parc.			
4. Patiner à l'aréna municipal.			
5. Jouer aux cartes.			
6. Jouer au bingo avec mon frère.			
7. Naviguer dans Internet.			
8. Aller faire du ski.			
9. Aller à mon cours de ski.			
10. Aller à mon cours de piano.			
11. M'exercer au piano.			
12. Jouer aux échecs avec papa.			
13. Jouer à un jeu de société avec maman.			
14. Regarder la télévision.			
15. Aller glisser dans la cour.			
16. Aller glisser au parc.			
17. Aller visiter un musée.			

Est-il certain que tu puisses réaliser chacune de ces activités ?

Je m'entraîne

1 **a)** Observe chacune des illustrations ci-dessous, puis décris ce qui est prévisible.

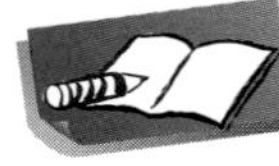

b) Représente et décris un événement ou une activité imprévisible.

2 As-tu des talents de météorologue ?

Durant 10 jours, essaie de prédire le temps qu'il fera le lendemain.

a) Chaque après-midi, inscris ta prédiction dans un tableau.

b) Le lendemain, vérifie ta prédiction et, dans ton tableau, écris le temps qu'il fait réellement.

c) Si ta prédiction était juste, trace un X dans ton tableau.

d) Après 10 jours, observe tes résultats et évalue tes talents de météorologue.

3 Vérifie le talent des météorologues à la télévision.

a) Durant 10 jours, écoute le bulletin météorologique le soir. Note dans un tableau les prévisions annoncées.

b) Le lendemain, écris le temps qu'il fait réellement.

c) Trace un X dans ton tableau si la prévision était juste.

d) Compare ces résultats avec tes prédictions au numéro 2.

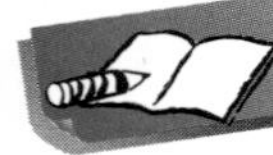

4 Dans ton cahier, représente les huit façons différentes de combiner les tuques et les foulards.

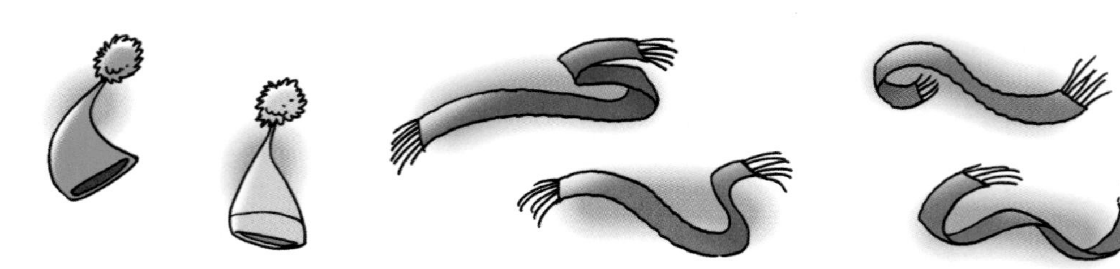

5 Tu as placé des formes en carton dans deux sacs.

Premier sac

Cercles et carrés.

Deuxième sac

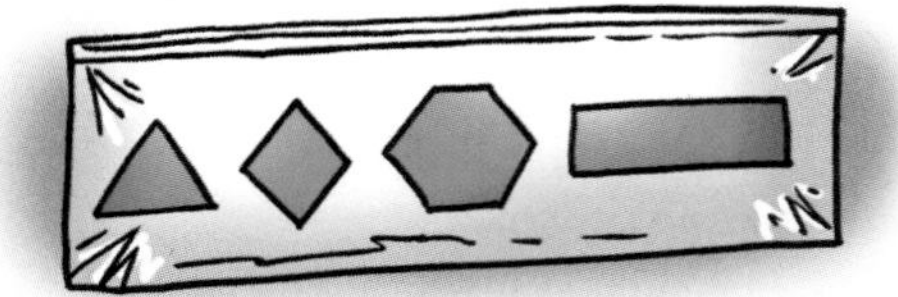

Triangles, losanges, hexagones et rectangles.

Tu tires une forme au hasard de chacun des sacs.

a) Place un jeton sur les combinaisons de formes que tu peux obtenir.

1)

3)

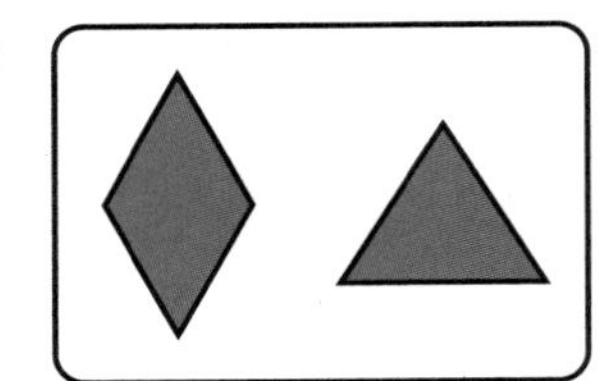

5)

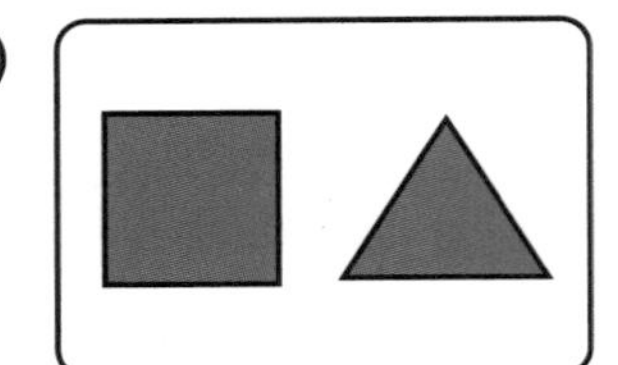

2)

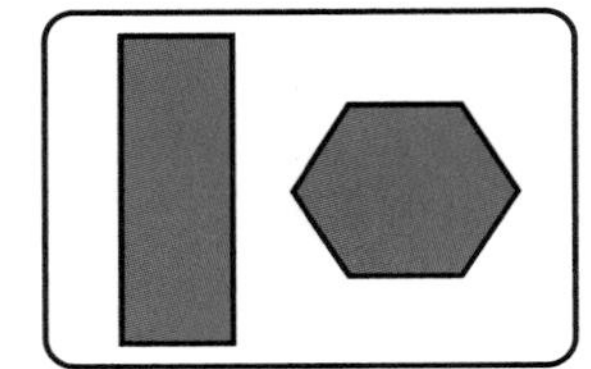

4)

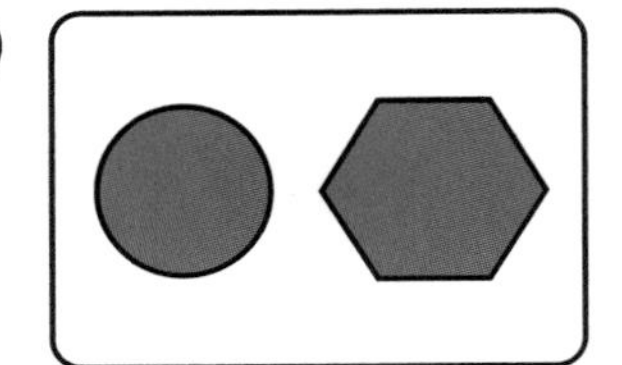

6)

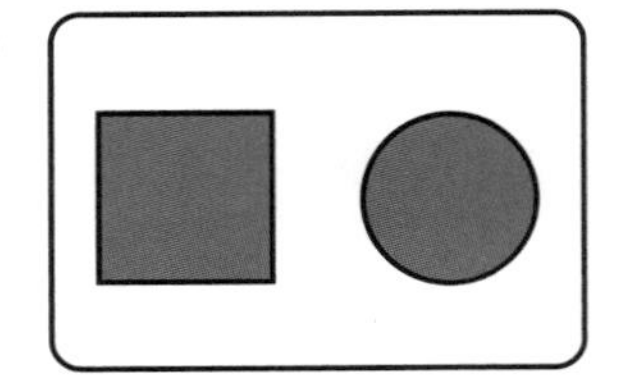

b) Dessine d'autres combinaisons possibles dans ton cahier.

Je suis capable

a) Pense à un événement possible et à un événement impossible.

b) Représente-les dans ton cahier.

c) Explique ces événements à un ou à une camarade.

Le savais-tu ?

Aujourd'hui, les météorologues utilisent des radars, des ballons-sondes et des satellites pour recueillir des données sur l'état de l'atmosphère. Ces spécialistes sont toujours à la recherche de nouvelles façons d'effectuer des prévisions justes.

Clic

On dit que les événements peuvent être certains, possibles ou impossibles.
Voici quelques exemples d'événements.

Certain	Possible	Impossible
Demain matin, le soleil se lèvera à l'est.	Deux élèves de la classe sont nés le même jour.	Si aujourd'hui c'est lundi, demain ce sera vendredi.
La couleur verte s'obtient en mélangeant du jaune et du bleu.	Dans une boîte neuve de crayons de couleur, il y a au moins un crayon bleu.	Demain, il y aura un dinosaure vivant dans la cour arrière de ma maison.
Si j'ai sept ans aujourd'hui, dans un an j'aurai huit ans.	Demain, il va pleuvoir.	En lançant deux dés, je peux obtenir un total de un.

Je réinvestis

Tu organises une fête pour ton anniversaire.

Les événements ci-dessous ont-ils une chance de se produire ? Réponds en utilisant les termes certain, possible ou impossible.

1) Il fera beau.	5) Tu recevras des cadeaux.
2) Tu auras un an de moins.	6) Tu auras un an de plus.
3) Tes camarades participeront à des jeux organisés.	7) Tu recevras un cadeau de chacun et de chacune de tes camarades.
4) Toutes les personnes que tu as invitées seront présentes.	8) Il y aura un gâteau d'anniversaire.

a) Reproduis le tableau ci-dessous dans ton cahier.

Certain	Possible	Impossible

b) Dans ton tableau, inscris les numéros des énoncés dans les colonnes appropriées.

Ce que j'ai appris me permet de choisir, le soir, les vêtements que je vais porter le lendemain, en fonction du temps prévu.

Et toi ?

Le temps des sucres

Tous les jours, M. Bureau écrit sur un calendrier le nombre de personnes qui font une balade en traîneau.

MARS						
Dimanche	Lundi	Mardi	Mercredi	Jeudi	Vendredi	Samedi
			0	0	0	211
112	13	0	24	211	32	210
223	27	34	18	124	120	145
142	15	29	36	130	231	102
221	38	26	17	112	113	

M. Lecavalier et M. Bureau disent-ils vrai ?

Je m'entraîne

1 En utilisant le calendrier de la page 27, trouve la réponse aux problèmes suivants.

a) Quels jours du mois de mars y a-t-il eu

1) 121 personnes de moins que les dimanches ?

2) 401 personnes de plus que les mercredis ?

b) Ces jours-là, s'il y avait eu 605 personnes de plus, il y en aurait eu autant que les dimanches. De quels jours s'agit-il ?

c) Quelle est la différence entre le nombre de personnes

1) venues les lundis et les vendredis ?

2) venues les lundis et les mardis ?

d) Quelle est la semaine où le plus de personnes ont fait la balade ?

2 Le 5 avril, 320 personnes viendront prendre un repas à la salle à manger.

a) Combien de tables faut-il préparer si l'on place

1) 10 personnes par table ?

2) 20 personnes par table ?

b) Si chaque personne doit avoir un couteau, une fourchette et une cuillère, combien d'ustensiles faut-il disposer en tout ?

 Observe les produits de l'érable.

1 $ équivaut à 100 cents.
2 $ équivalent à 200 cents.
3 $ équivalent à 300 cents.

a) Calcule combien d'argent il te faut pour acheter

1) un ourson et une pomme;
2) une feuille d'érable, un ourson et un lapin;
3) huit oursons en sucre d'érable;
4) deux pots de tire d'érable;
5) cinq lapins en sucre d'érable;

6) deux feuilles d'érable et deux yogourts;
7) une pomme, deux feuilles d'érable et un ourson.

b) Tu as 1 $ et tu achètes deux oursons.
Calcule la monnaie que l'on te rendra.

c) Tu as (4 pièces de 1 $) et tu achètes le pot de tire d'érable. Combien d'argent te reste-t-il ?

d) Tu as 3 $. As-tu assez d'argent pour acheter six pommes de tire ? Explique ta réponse.

Je suis capable

Observe les produits de l'érable.

a) À l'aide des illustrations des produits de l'érable ci-dessus, écris un problème dans lequel tu dois

1) trouver la somme de 136 et 223;
2) soustraire 453 de 689.

b) Compare tes problèmes avec ceux d'un ou d'une camarade.

Clic

Voici comment additionner et soustraire des nombres comportant des centaines.

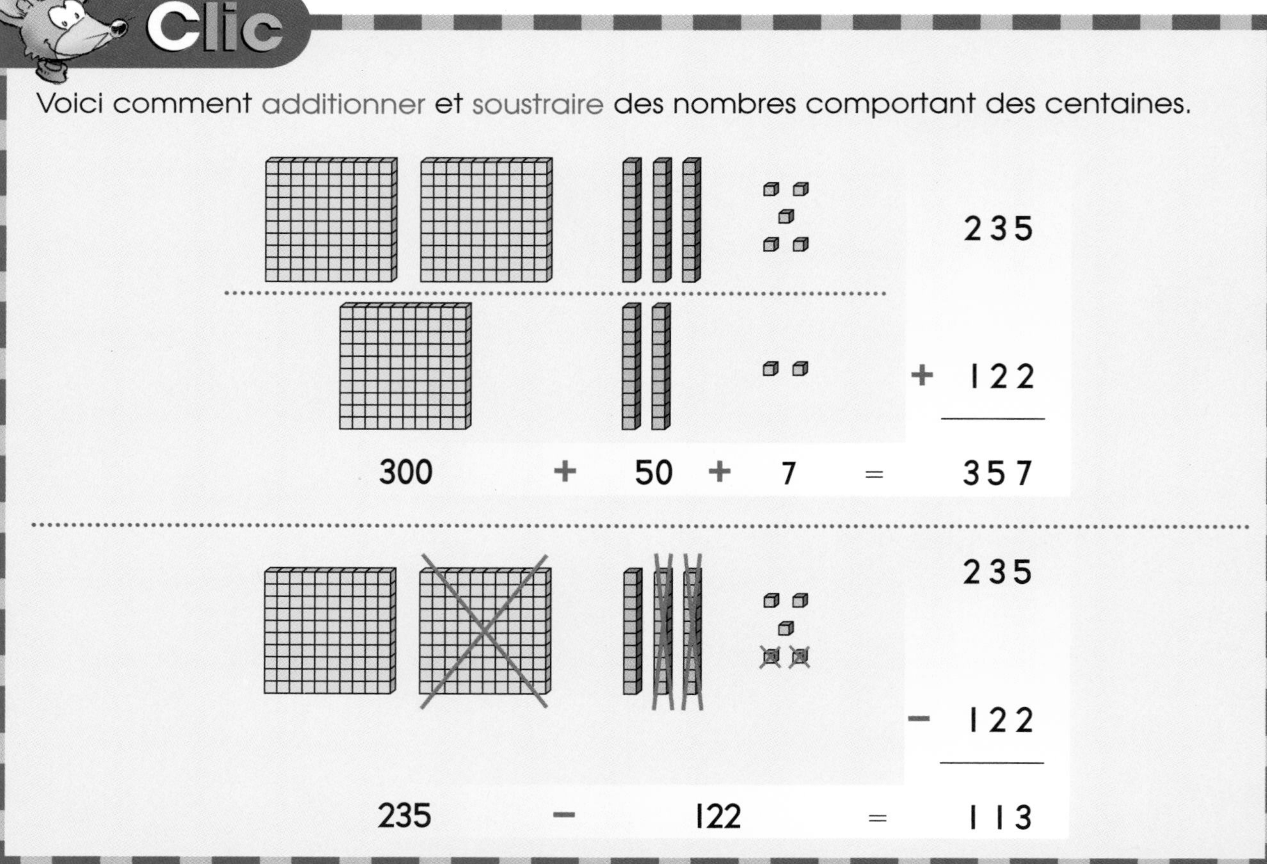

Je réinvestis

À la cabane à sucre, trois élèves ont joué à un jeu d'adresse. Chaque élève a lancé cinq balles sur une cible.

Observe et remplis les trois tableaux de pointage.

a) Qui a gagné après quatre parties ?

b) Combien de points séparent la personne gagnante des deux autres élèves ?

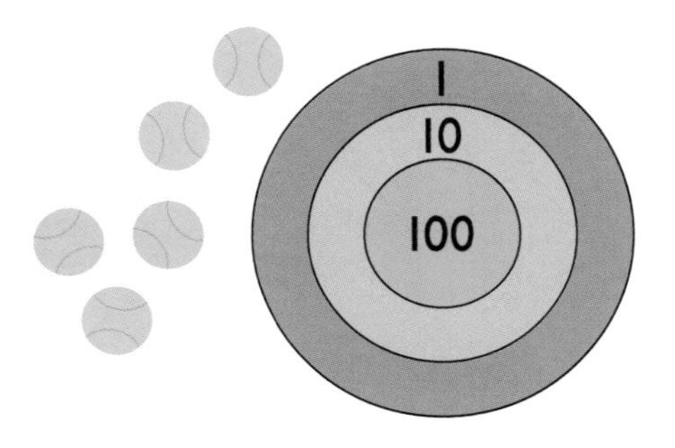

Partie	Vincent	Total
1	1 1 10 0 10	
2	100 10 1 1 1	
3	10 0 1 10 10	
4	0 100 1 1 0	

Partie	Éloïse	Total
1	100 10 0 1 1	
2	10 10 1 10 10	
3	10 0 10 1 100	
4	1 1 1 1 100	

Partie	Abdoula	Total
1	0 10 1 1 1	
2	10 0 100 0 0	
3	10 100 0 10 1	
4	0 1 1 1 10	

Ce que j'ai appris me permet de compter

- des centaines d'objets, de personnes, de points;
- des cents et des dollars.

Et toi ?

Le temps passe

Les années de ma vie

Un matin de congé

Comment peux-tu représenter ces faits sur une ligne du temps ?

Je m'entraîne

Voici quatre bonnes raisons d'utiliser la régularité + 5.	
1. Pour compter des pièces de 5 ¢. Si tu as 20 pièces de 5 cents, combien d'argent as-tu en tout ?	**4.** Pour lire l'heure sur un cadran à aiguilles.  4 heures et 35 minutes
2. Pour compter des billets de 5 $. Si tu as 40 billets de 5 $, combien d'argent as-tu en tout ?	
3. Pour résoudre un problème. **a)** Combien de doigts les élèves de ta classe ont-ils tous ensemble ? **b)** Un kangourou fait des sauts de 5 m. S'il fait 13 sauts, combien de mètres parcourt-il ?	

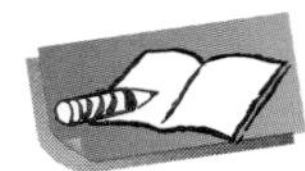

1 **a)** Collecte d'informations et d'illustrations.

1) En discutant avec tes parents et en regardant des photos, trouve un jouet que tu as particulièrement aimé chaque année de ta vie.

2) Dessine ces jouets ou découpes-en des semblables dans un catalogue ou une revue.

b) Réalisation du projet.

1) Trace une ligne du temps de 0 à 8 ans.

2) Colle chaque illustration à l'endroit approprié sur ta ligne du temps.

3) Écris une courte description sous chaque illustration de ta ligne du temps.

Entre 8 **h** et 8 **h** 30, la grande aiguille d'une horloge a parcouru la moitié du cadran.

On dit qu'il est
8 heures et 30 minutes,
ou 8 heures et demie.

8

30

Entre 8 **h** et 8 **h** 15, la grande aiguille d'une horloge a parcouru le quart du cadran.

On dit qu'il est
8 heures et 15 minutes,
ou 8 heures et quart.

Chaque fois que tu vois une horloge, indique l'heure sur le cadran de l'horloge qu'on te remet.

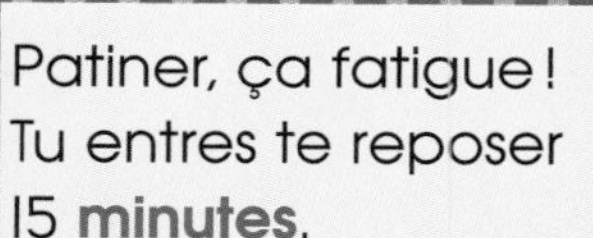

Départ

Tu arrives à la patinoire à 13 **heures**.

Tu prends 10 **minutes** pour chausser tes patins.

Tu fais un premier tour de patinoire en 5 **minutes**.

Tu fais trois autres tours à la même vitesse.

Tu fais des courses durant 20 **minutes**.

Patiner, ça fatigue! Tu entres te reposer 15 **minutes**.

Tu es en forme! Tu fais quatre tours de 5 **minutes** chacun.

Surprise! Tes parents viennent patiner avec toi. Une **heure** plus tard, vous quittez la patinoire.

Encore 10 **minutes** et vous voilà dans la voiture, prêts à partir.

Quelle **heure** est-il ?

Arrivée

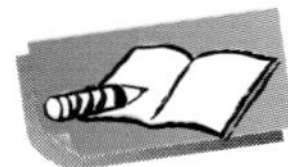

a) Illustre une situation pour chacune des heures indiquées sur la ligne du temps d'une journée ci-dessous.

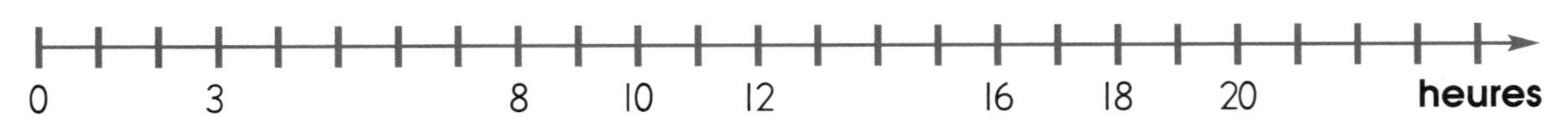

b) Explique tes situations à un ou à une camarade.

Le savais-tu ?

Les chiffres romains ont été inventés il y a plus de 2000 ans.
Encore aujourd'hui, certaines horloges et montres indiquent l'heure à l'aide de ces chiffres. Ce système de numération est composé de sept symboles.

I	V	X	L	C	D	M
1	5	10	50	100	500	1000

MM est la façon de représenter l'an 2000 en chiffres romains.

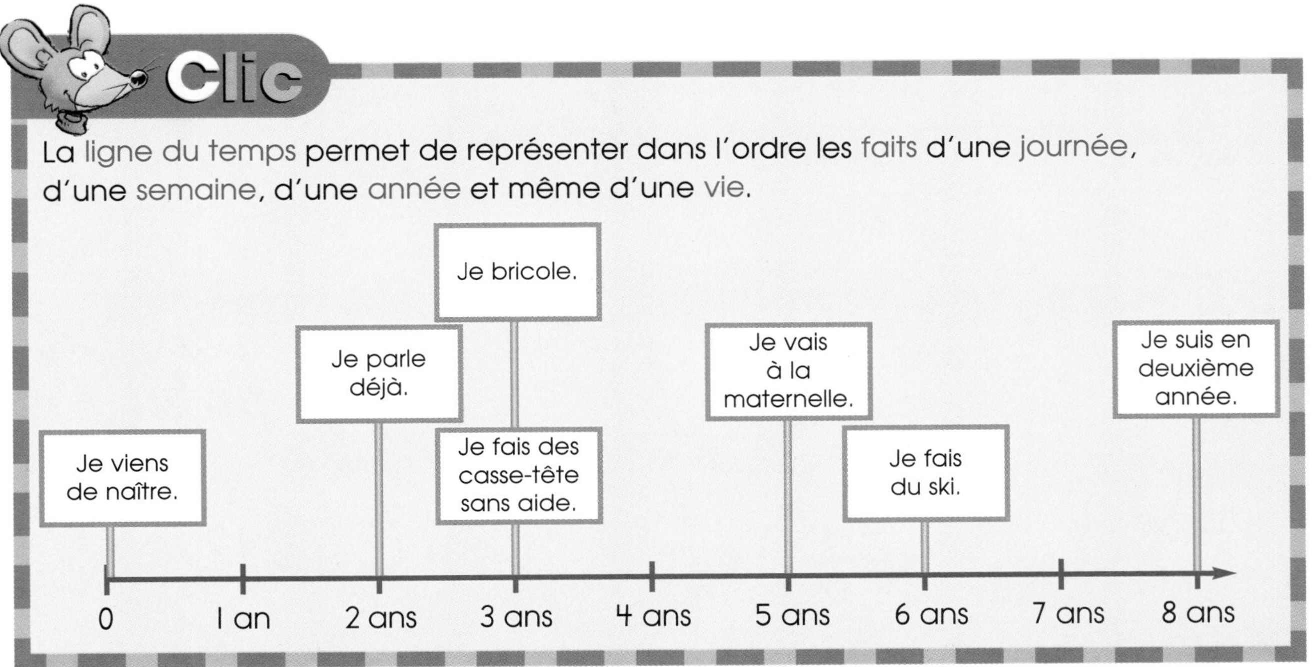

Je réinvestis

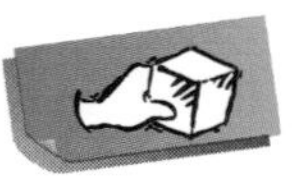

a) Avec une bande de papier ou de carton, fabrique une ligne du temps de 60 centimètres de long.

b) Partage ta ligne du temps en 12 parties de même mesure en traçant de petits traits verticaux.

c) Sur cette bande, écris les 12 mois de l'année.

janvier	février	mars	avril	mai	juin	juillet	août	septembre	octobre	novembre	décembre

d) Découpe les timbres sur la feuille qu'on te remet, puis place-les aux endroits appropriés sur ta ligne du temps.

1 Premier jour du printemps	4	7	10 Bonne année!	13	16 Premier jour de l'automne
2 Premier jour de l'hiver	5	8 La rentrée scolaire	11	14	17 Premier jour de l'été
3	6 Bonne fête des Mères!	9 Bonne fête des Pères!	12	15	18

Dans ma vie

Ce que j'ai appris me permet

- de lire l'heure sur un cadran à aiguilles, même si les chiffres sont romains;
- de situer des faits sur une ligne du temps.

Et toi ?

Un nouveau jeu

Alice et Joshua s'amusent avec un nouveau jeu.

a) Dans le jeu, il y a

1) deux cartons blancs avec une étoile;

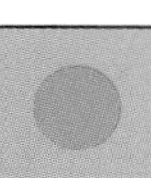

2) quatre cartons beiges avec un cercle.

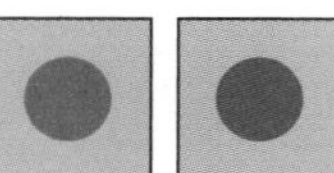

b) Au début du jeu, on place tous les cartons à l'envers.

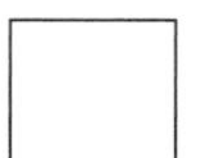

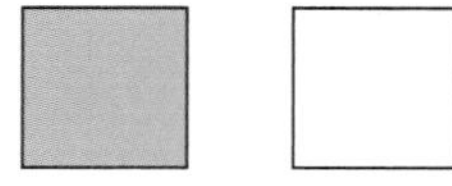

c) À tour de rôle, chaque personne tourne un carton «étoile» et un carton «cercle». Le but du jeu est d'obtenir l'étoile bleue et le cercle jaune.

d) Après chaque tirage, on replace les cartons à l'envers et on les brasse.

Quelles sont les différentes combinaisons que tu peux obtenir en jouant à ce nouveau jeu ?

Je m'entraîne

Dans le jeu Multimonstre, les cartes blanches indiquent un nombre et les cartes bleues indiquent une partie du corps. Observe comment Taïsha joue. Elle tire deux cartes :

- une carte blanche avec le nombre 4 ;
- une carte bleue avec les trois têtes du Multimonstre.

Elle doit ensuite trouver combien de têtes il y a en tout.

Alors elle compte 4 monstres qui ont 3 têtes chacun.

+ : 3 + 3 + 3 + 3 = 12

ou

× : 4 × 3 = 12

Sa réponse est 12 têtes et elle gagne une carte Multimonstre.

a) C'est au tour du papa de Taïsha de jouer. Il tire

- une carte blanche avec le nombre 2 ;
- une carte bleue avec les deux pattes du Multimonstre.

Il doit compter [2] monstres qui ont 2 pattes chacun.

[+] : 2 + 2 = 

ou

[×] : 2 × 2 =  

Trouve sa réponse et écris les égalités correspondantes.

b) La maman de Taïsha joue aussi. Elle tire

- une carte blanche avec le nombre [3] ;
- une carte bleue avec les quatre queues du Multimonstre.

Elle doit compter [3] monstres qui ont 4 queues chacun.

Trouve sa réponse et écris les égalités correspondantes.

c) Observe les cartes tirées par Taïsha et les réponses.

Cartes tirées

1)	4	5)	5
2)	1	6)	6
3)	3	7)	5
4)	6	8)	4

Réponses

16	3	18
20	12	6
8	12	10

1) Place un jeton sur chacune de tes réponses.

2) La case [ ] non couverte indique combien de parties Taïsha a gagnées. Quel est ce nombre ?

Je suis capable

Trouve toutes les combinaisons de vêtements que le monstre pourrait choisir.

a) Représente ta solution.

b) Explique ta solution à un ou à une camarade.

Clic

× est le symbole de la multiplication.

1. Au lieu d'additionner plusieurs fois le même nombre, on peut multiplier.

Exemple : 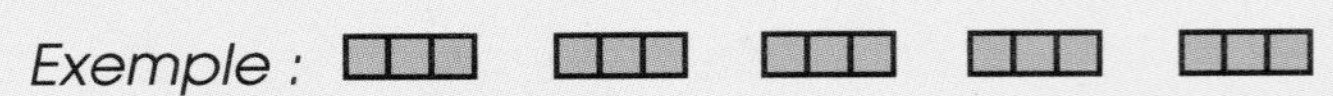

$3 + 3 + 3 + 3 + 3 = 15$

5 groupes de **3** font **15.**

$5 \times 3 = 15$

2. Pour trouver le nombre de combinaisons de vêtements possibles, on peut multiplier.

Exemple :

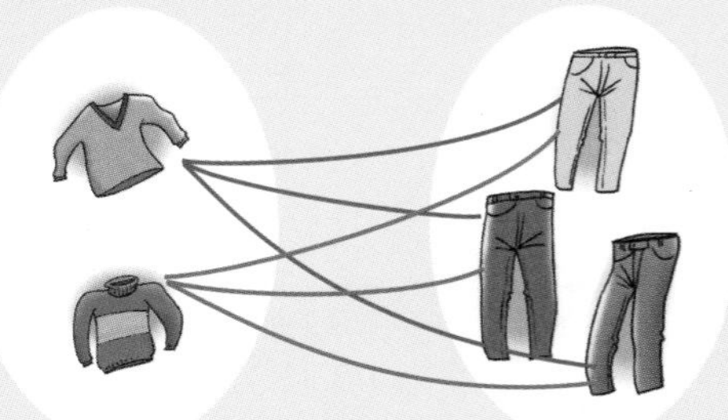

$2 \times 3 = 6$

Je réinvestis

Pour chacune des additions répétées ci-dessous, exécute les tâches demandées.

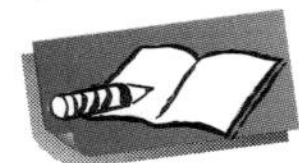

a) Écris la multiplication correspondante.

b) Trouve la réponse.

c) Illustre les deux cartes du jeu Multimonstre que tu dois tirer pour obtenir cette égalité.

1) $3 + 3 + 3$

2) $2 + 2 + 2 + 2$

3) $4 + 4 + 4 + 4 + 4 + 4$

Le savais-tu ?

Les bouliers ou abaques facilitent les opérations de calcul.
Il en existe de nombreuses sortes dans le monde.

En voici deux modèles.

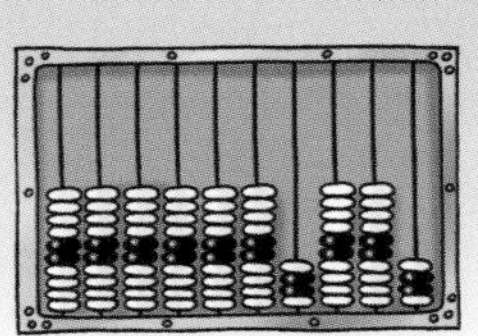

Le boulier russe

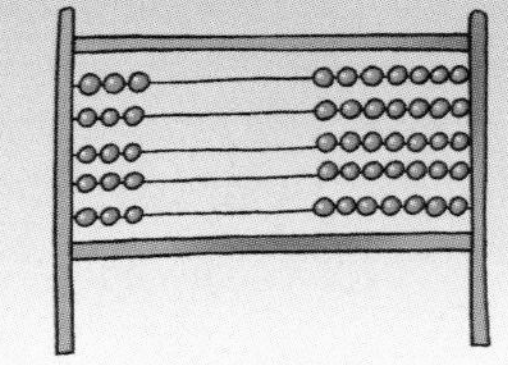

Le boulier-compteur français

Dans ma vie

Ce que j'ai appris peut m'aider à compter plus rapidement lorsque j'ai plusieurs fois le même nombre d'objets.

Et toi ?

J'ai besoin d'aide

Pour des raisons de santé, je serai absent de l'école durant deux semaines. Mon amie Saki viendra m'aider à comprendre la valeur de position des chiffres dans un nombre à l'aide de ces roues.

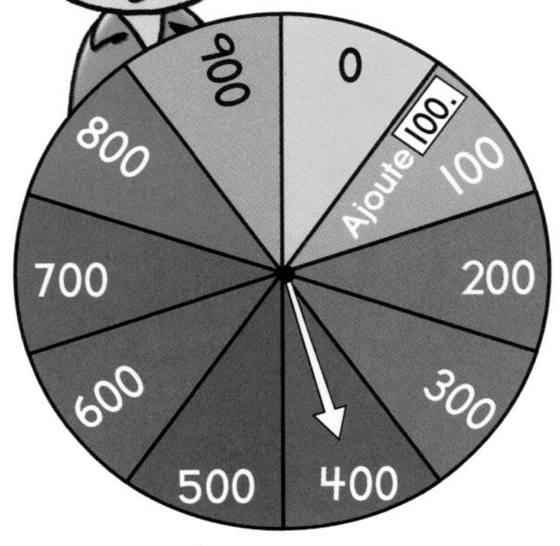

Roue des centaines

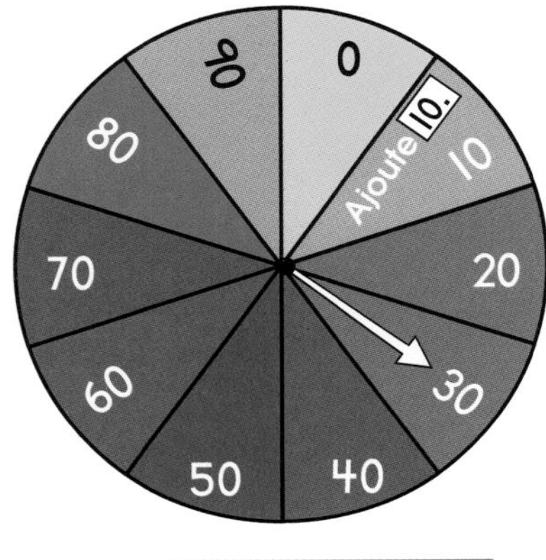

Roue des dizaines

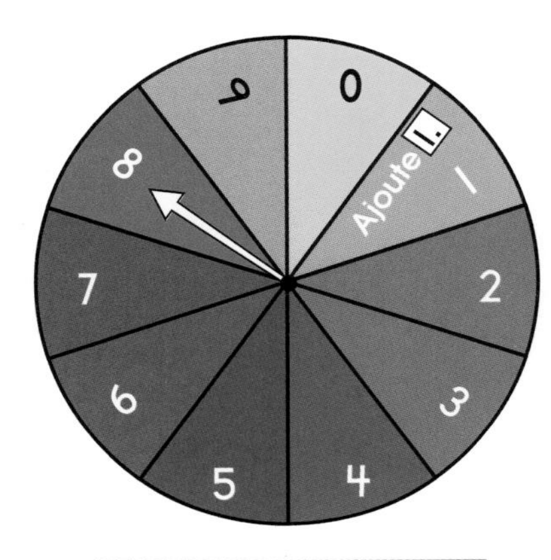

Roue des unités

Kenny doit remplir le tableau ci-dessous en utilisant ces différentes roues.

Nombres	Position de l'↗ sur la roue des centaines	Position de l'↗ sur la roue des dizaines	Position de l'↗ sur la roue des unités
625			
99			
777			
	500	90	4
	800	0	0

Quels nombres obtiendras-tu en ajoutant une centaine à chacun des nombres du tableau rempli par Kenny ?

Je m'entraîne

1 

Avec les roues qu'on te remet, fais l'activité qu'Olivier a préparée pour Kenny.

a) 1) Place les aiguilles à 200, 50 et 4 sur les roues.

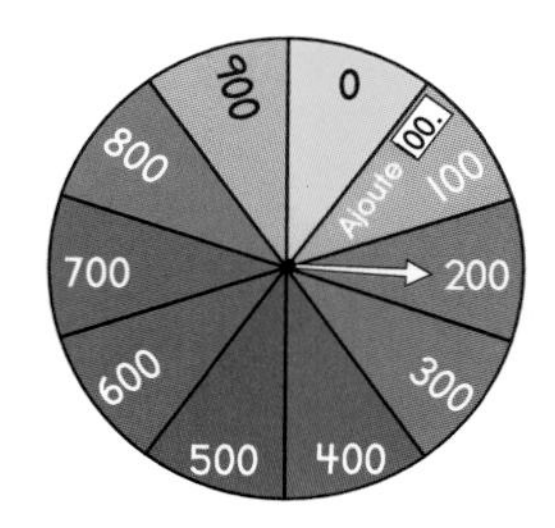

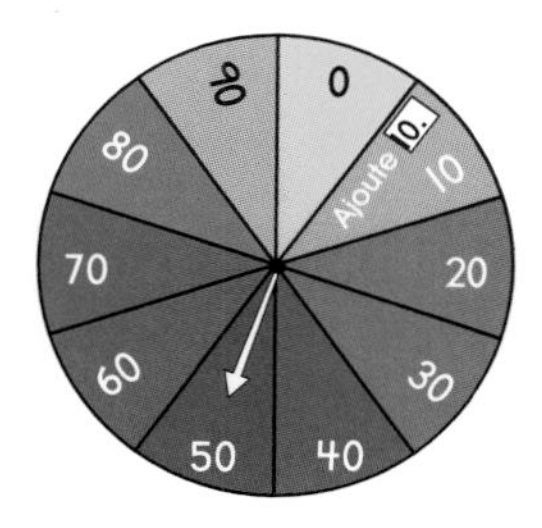

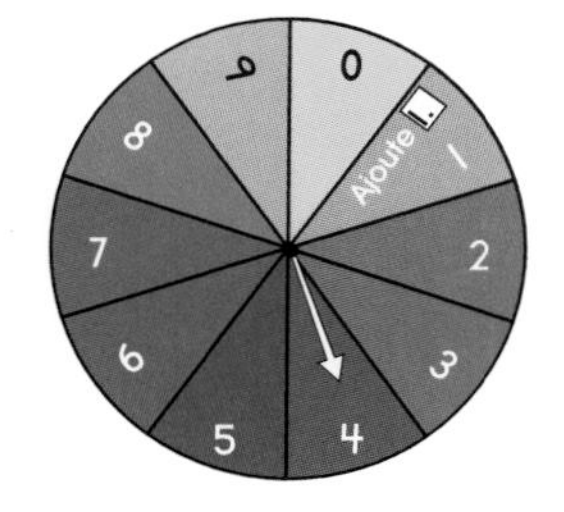

2) Écris ce nombre.

3) Tourne l'aiguille appropriée en respectant la régularité + 10.

4) Écris le nombre obtenu.

5) Écris les deux prochains nombres en respectant la même régularité.

b) Remplis le tableau sur la feuille qu'on te remet. Suis bien les consignes.

1) Place les aiguilles sur les roues.	**2) Écris ce nombre.**	**3) Tourne l'↗ correspondant à la régularité.**	**4) Écris le nombre obtenu.**	**5) Écris les deux prochains nombres selon la même régularité.**
600 10 3		+ 10		
200 80 5		− 10		
700 30 8		− 1		
300 40 1		+ 100		
400 90 0		+ 10		
800 0 0		− 100		
				593, 594

2 Kenny va beaucoup mieux. Il décide de jouer un tour à son amie Saki. Voici ce qu'il lui a préparé.

a) Sur la feuille qu'on te remet, remplis les cases de la chaîne et tu découvriras le nombre de cassettes de jeux que Kenny possède.

Départ

247	Ajoute une dizaine.	Enlève une centaine.	Ajoute 2 unités.
			Ajoute 4 centaines.
Ajoute 2 dizaines.	Enlève 3 centaines.	Enlève 3 dizaines.	Enlève 4 unités.
Enlève 5 unités.			
Ajoute 20 unités.	Enlève 2 centaines.	Enlève 6 dizaines.	

Arrivée

b) Combien de cassettes de jeux Kenny possède-t-il ?

Je suis capable

a) Représente le nombre 899 en utilisant les roues des nombres.

b) Écris un nombre de centaines, de dizaines et d'unités à soustraire de ce nombre.

c) Demande à un ou à une camarade de trouver la réponse.

d) Demande-lui d'écrire le nombre obtenu.

Clic

Voici des exemples sur la façon d'ajouter ou de retrancher des centaines, des dizaines et des unités.

Au nombre **546**

on ajoute		on enlève	
1) 2 centaines;	$546 + 200 = 746$	1) 2 centaines;	$546 - 200 = 346$
2) 3 dizaines;	$546 + 30 = 576$	2) 3 dizaines;	$546 - 30 = 516$
3) 1 unité.	$546 + 1 = 547$	3) 1 unité.	$546 - 1 = 545$

Je réinvestis

Emmanuel doit distribuer dans l'école 789 lettres destinées aux parents. Il demande l'aide de trois camarades de classe.

- Virginie en prend 1 centaine et 1 dizaine.
- Gabriel en distribue 1 centaine, 2 dizaines et 3 unités.
- Éric se charge de 1 centaine, 1 dizaine et 2 unités.

a) Combien de lettres reste-t-il à distribuer ? Représente ta démarche.

b) Emmanuel décide ensuite de partager également les lettres qui restent avec son ami Éric. Combien de lettres chacun aura-t-il à distribuer ?

Le savais-tu ?

La roue a transformé la vie des humains. Son invention remonte à plus de 5000 ans, en Asie. On a commencé à fabriquer des roues à rayons vers 1800.

La roue a été très utile dans la création de la première machine à calculer.

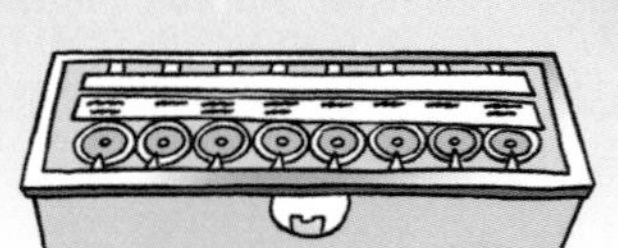

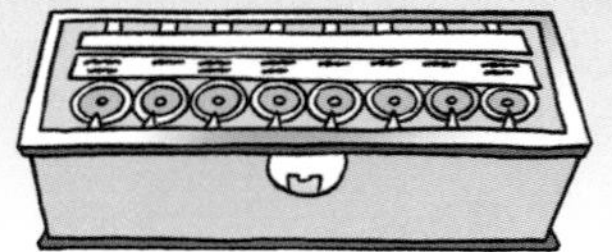

Ce que j'ai appris me permet de compter plus facilement mes points dans des jeux.

Et toi ?

ÉTAPE 8

SITUATION 28 La planète Zucton

En naviguant dans Internet, j'ai découvert un jeu vidéo dans lequel j'ai parcouru le quartier **Prisma** ci-dessous.

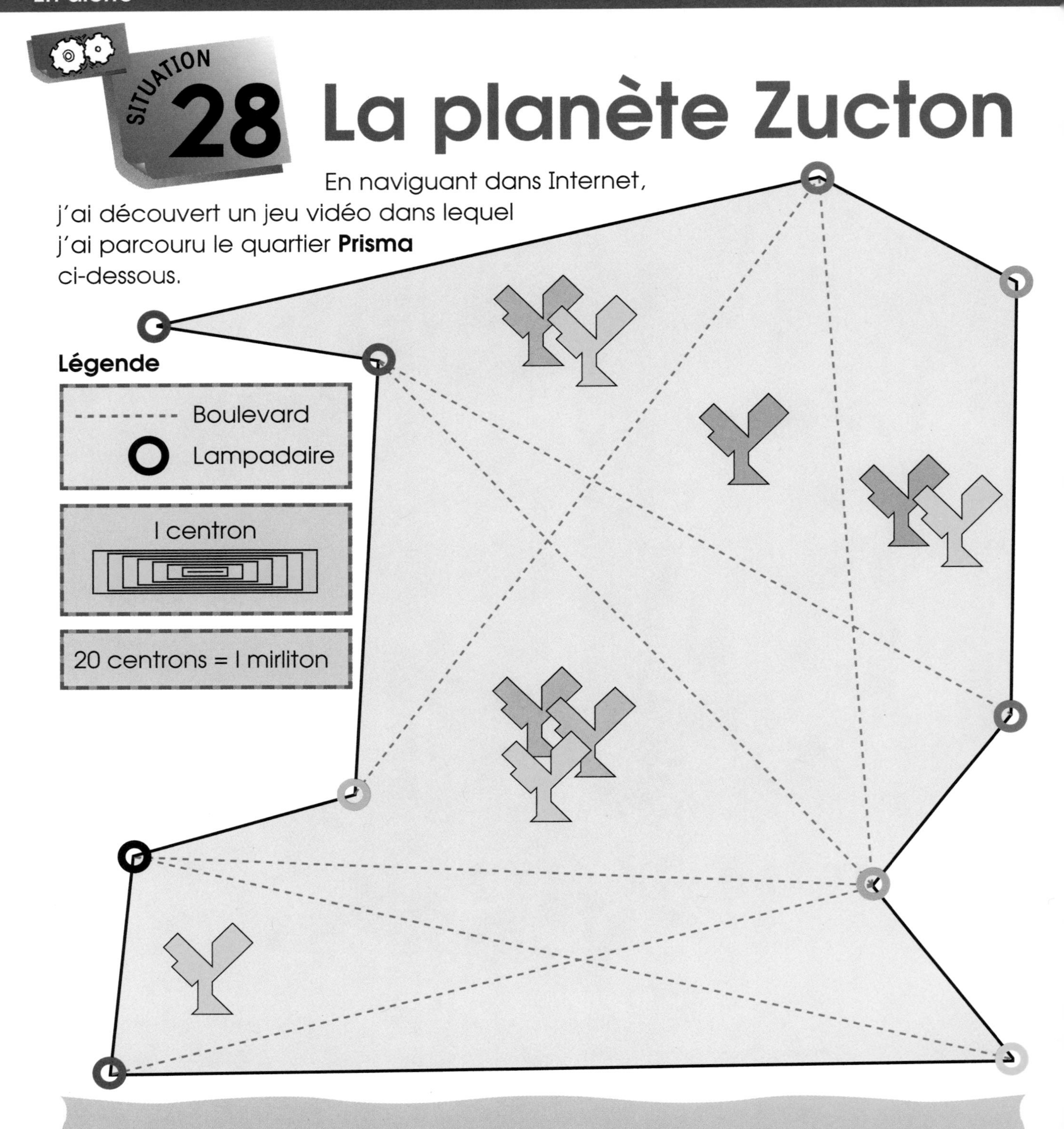

Le contour de ce plan mesure-t-il un mirliton ?

Je m'entraîne

a) Mesure en centimètres le contour du plan du quartier Prisma.

b) En plaçant un jeton sur la case appropriée, indique si cette mesure est

supérieure à un mètre, inférieure à un mètre ou égale à un mètre.

Les boulevards du quartier Prisma sont représentés par une ligne pointillée rouge, reliant deux cercles de couleur.

a) Mesure en centimètres les boulevards qui relient

1) le O au O; 4) le O au O; 7) le O au O.

2) le O au O; 5) le O au O;

3) le O au O; 6) le O au O;

b) Quelle est la longueur totale de ces boulevards en centimètres ?

c) Cette longueur est-elle supérieure ou inférieure à un mètre ?

d) Quelle est la longueur totale des boulevards en centrons ?

Chacun des cercles du plan représente un lampadaire comprenant trois ampoules de couleur.

a) Combien d'ampoules y a-t-il en tout ?

b) Représente ta solution à l'aide

1) d'une suite;

2) d'une addition répétée;

3) d'une multiplication.

Sur la planète Zucton, les objets sont de la même taille que sur la planète Terre.

a) Place un jeton sous l'unité de mesure que tu utiliserais pour mesurer les éléments suivants.

	m	dm	cm
1) La longueur d'une classe.			
2) La longueur d'un pupitre.			
3) La hauteur d'un pupitre.			
4) La longueur d'un tableau.			
5) La hauteur d'un tableau.			
6) La longueur d'un crayon neuf.			
7) La longueur de ton crayon.			
8) La hauteur d'une chaise.			

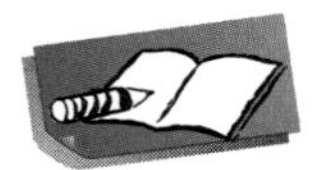

b) Mesure ces objets dans ta classe et écris tes réponses dans ton cahier.

5

a) En utilisant des mots comme ceux de l'encadré ci-contre, décris le trajet que tu suis pour aller

- monter
- descendre
- à gauche
- à droite
- tourner
- devant

1) de ta classe au local de musique ;
2) de ta classe au gymnase ;
3) de ta classe aux toilettes ;
4) du local de musique au gymnase.

b) Compte et écris le nombre de pas du trajet le plus court.

Je suis capable

Utilise la feuille pointillée qu'on te remet.

a) Trace le contour d'un autre quartier de la planète Zucton.

b) Donne un nom à ce quartier.

c) Compare la mesure du contour de ton quartier avec celle du quartier Prisma.

d) Demande à un ou à une camarade de mesurer en centimètres le contour de ton quartier.

Le savais-tu ?

Autrefois, pour mesurer, l'être humain utilisait son corps.

- Le pied, de la longueur d'un pied humain, valait environ 30 cm.
- La coudée, qui représentait la distance entre le coude et le bout du majeur, mesurait environ 50 cm.
- Le pouce, c'est-à-dire la longueur du bout du pouce, mesurait entre 2 cm et 3 cm.

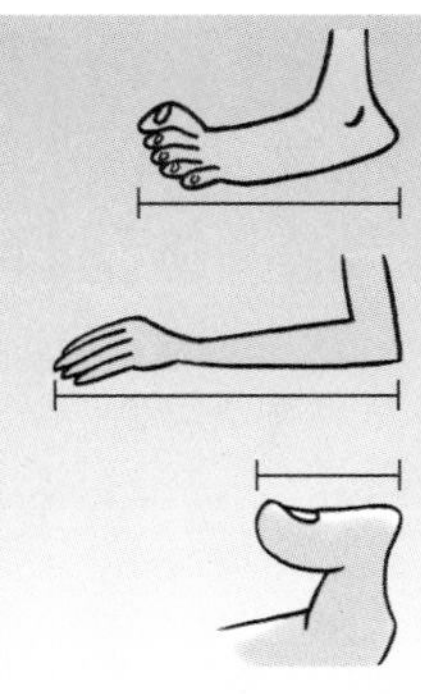

Le système des mesures métriques utilisé aujourd'hui est plus simple et plus précis.

Clic

Dans 1 mètre, il y a 100 centimètres.

Pour obtenir 1 mètre, on peut construire 10 sections de 10 centimètres et les mettre bout à bout.

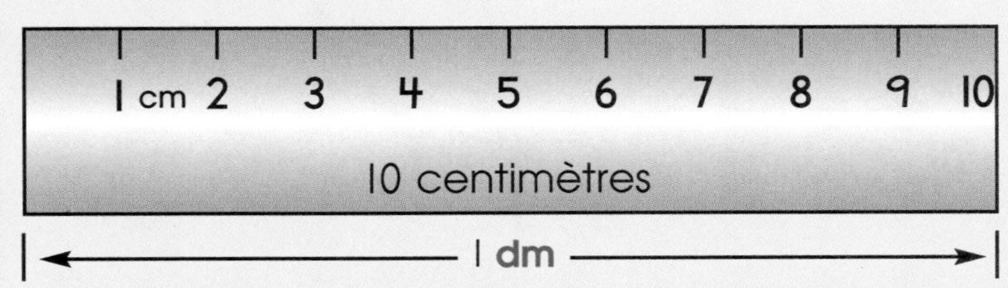

Chaque section s'appelle un décimètre.

Le symbole **dm** désigne cette mesure.

Je réinvestis

Sur le plan qu'on te remet, trace une route en respectant les mesures et le sens des flèches ci-dessous.

a) Pars du cercle et suis ce trajet dans l'ordre.

1) 3 cm ←	5) 2 cm ←	9) 2 cm →
2) 5 cm ↑	6) 3 cm ↓	10) 6 cm ↓
3) 5 cm →	7) 6 cm ←	11) 5 cm ←
4) 6 cm ↑	8) 2 cm ↓	12) 3 cm ↓

b) À quels solides ressemblent les deux maisons que tu as touchées en traçant le trajet ?

c) Quelle est la longueur du trajet en centimètres ?

d) Cette longueur est-elle supérieure ou inférieure à un mètre ?

e) Quelle est la longueur du trajet en centrons ?

Dans ma vie

Ce que j'ai appris me permet de dire de combien de centimètres j'ai grandi :

- depuis le début de l'année scolaire ;
- depuis ma naissance.

Et toi ?

SITUATION 29 La publicité

Quelle serait la meilleure offre pour Tiago ?

Je m'entraîne

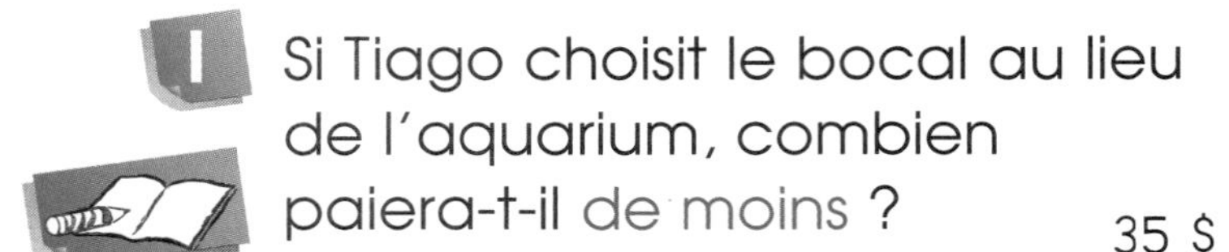

1 Si Tiago choisit le bocal au lieu de l'aquarium, combien paiera-t-il de moins ?

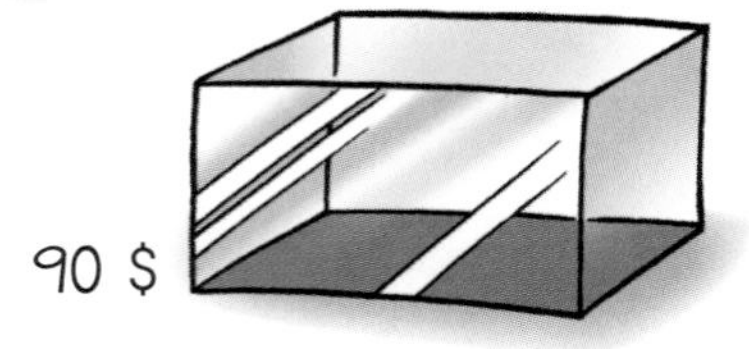

2 La boutique Le poisson rouge offre un aquarium comme celui-ci.

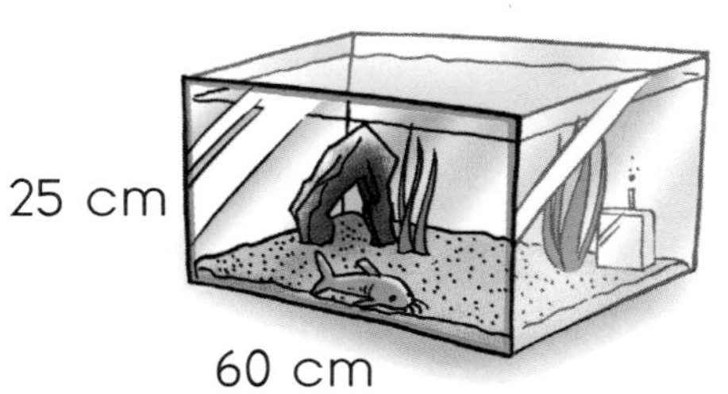

a) À quel solide cet aquarium ressemble-t-il ?

b) Un poisson vidangeur nettoie le contour de la façade de cet aquarium. Quelle est la longueur de son trajet en centimètres ?

3 Observe le tableau des prix de différents poissons d'aquarium.

Guppy éventail	Arc-en-ciel	Tétra	Gourami miel	Poisson rouge
25 $	7 $	3 $	6 $	1 $

a) Quel prix Tiago doit-il payer pour
1) un tétra et un guppy éventail ?
2) un arc-en-ciel, un gourami miel et un tétra ?
3) deux tétras et deux gouramis miel ?

b) Quels poissons peut-il acheter avec 15 $?

c) Quels poissons peut-il acheter avec 40 $?

Observe la taille de certains poissons d'aquarium.

Poisson-couteau	Gourami miel	Barbeau	Tétra	Platy
35 cm	4 cm	15 cm	5 cm	6 cm

a) Quel poisson mesure 29 centimètres de moins que le poisson-couteau ?

b) Combien de centimètres manque-t-il au gourami miel pour être aussi long que le barbeau ?

c) Quels sont les deux poissons qui, mis bout à bout, mesurent 24 centimètres de moins que le poisson-couteau ?

5 À chaque période de ponte, la femelle Molly pourrait avoir 50 alevins.

a) Combien d'alevins pourrait-elle avoir après sept pontes ?

b) Représente ta démarche.

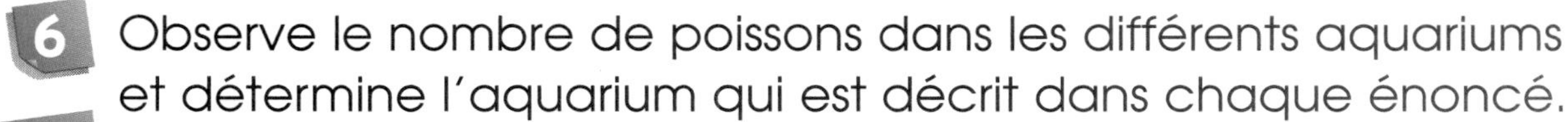

6 Observe le nombre de poissons dans les différents aquariums et détermine l'aquarium qui est décrit dans chaque énoncé.

Aquarium	**A**	**B**	**C**	**D**	**E**
Nombre de poissons	123	145	75	115	126

a) S'il y avait 30 poissons de plus dans cet aquarium, il y en aurait le même nombre que dans un autre.

b) Si cet aquarium contenait 10 poissons de moins, il occuperait le deuxième rang dans l'ordre croissant.

c) Si l'on ajoutait 30 poissons dans cet aquarium, il en contiendrait une centaine de plus qu'un autre.

Je suis capable

Tu as 25 $ et tu désires acheter 4 poissons différents parmi les suivants.

Arc-en-ciel	Poisson-soleil	Barbeau	Tétra	Poisson-crayon
7 $	8 $	5 $	3 $	9 $

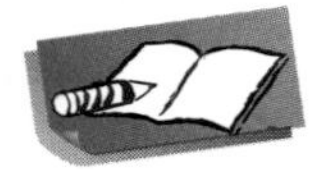

a) Quels poissons pourrais-tu acheter ?

b) Représente ta solution.

c) Compare ta solution avec celle de tes camarades.

Clic

La somme de 1 $ équivaut à

- 100 pièces de  ;
- 20 pièces de  ;
- 10 pièces de  ;
- 4 pièces de  ;
- 1 pièce de  .

La somme de 100 $ équivaut à

- 100 pièces de  ;
- 50 pièces de  ;
- 20 billets de  ;
- 10 billets de  ;
- 5 billets de  ;
- 2 billets de  ;
- 1 billet de .

Je réinvestis

Tiago compte l'argent qu'il possède.

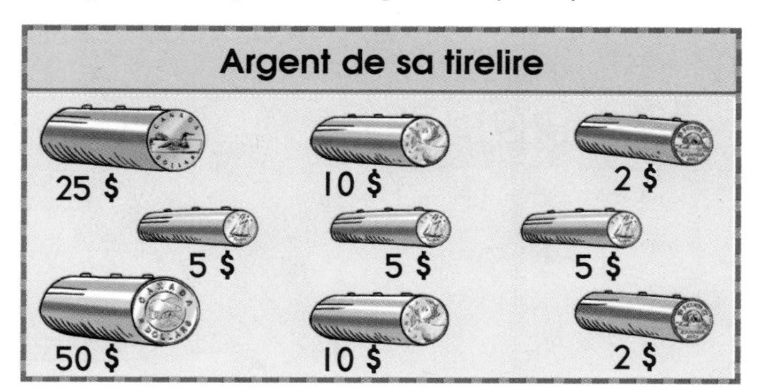

a) Quelle somme d'argent Tiago possède-t-il ?

b) S'il accepte l'offre de la boutique Le poisson rouge, à 140 $, combien d'argent lui restera-t-il ?

c) Place un jeton sur les boîtes de nourriture qu'il pourrait acheter avec l'argent qui lui reste.

5 $

5 $

5 $

5 $

2 $

2 $

2 $

Le savais-tu ?

Avant l'invention du métal et de la monnaie, on utilisait divers objets pour payer des produits. En Asie et en Afrique, les coques de cauri servaient de monnaie d'échange. En Chine, on utilisait le thé. Au Moyen-Orient, les chameaux constituaient un moyen de paiement.

Ce que j'ai appris me permet de savoir ce que je peux acheter avec mes économies en regardant des annonces publicitaires.
Et toi ?

30 Une foire réussie

Le journal du quartier

À la fin de la foire, on a demandé à des enfants quelle représentation avait été leur préférée.
Voici les résultats du sondage.

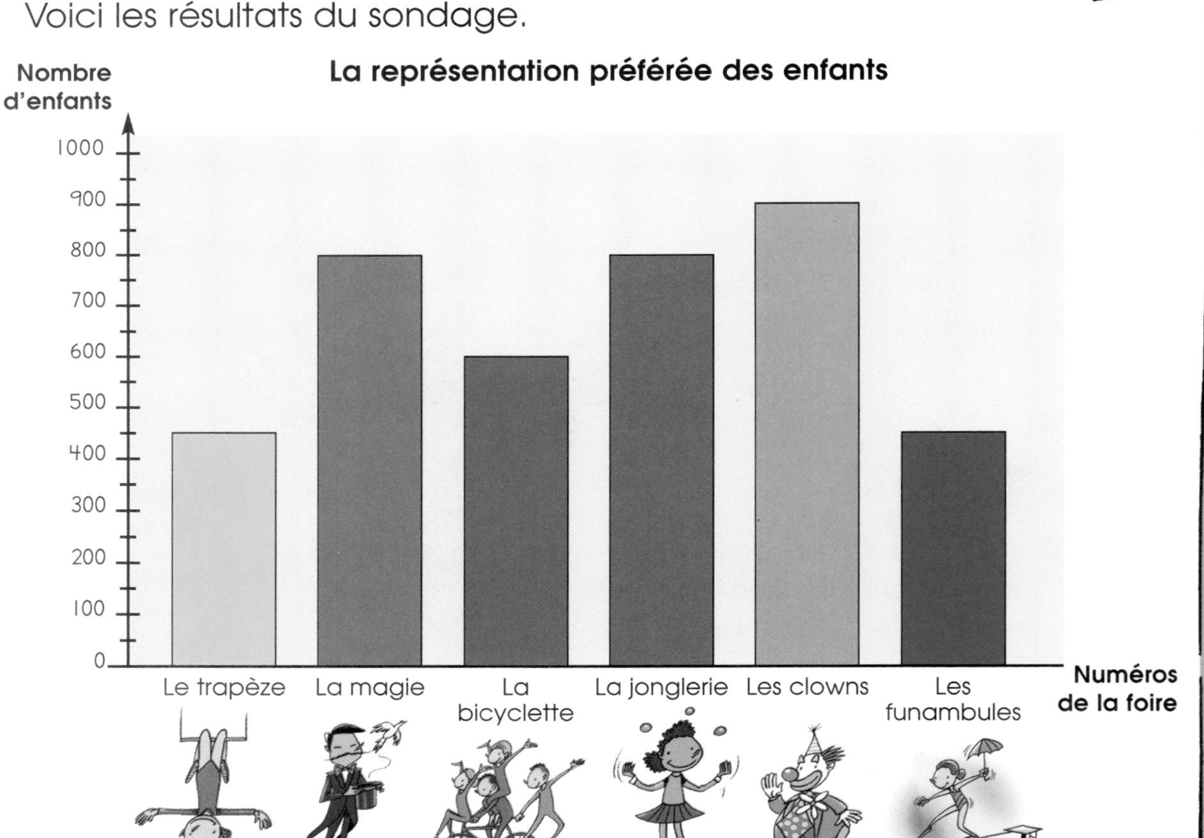

Quelles informations ce diagramme à bandes te donne-t-il ?

Je m'entraîne

1  Quand Roxane a franchi le tourniquet de la foire, le numéro 897 s'est affiché. Quel sera le numéro de la 100e personne qui franchira le tourniquet après Roxane ?

2 Observe le tableau du nombre de personnes qui ont assisté aux différentes représentations ci-dessous.

Numéros	Nombre de personnes	Numéros	Nombre de personnes
Le trapèze	734	Les clowns	821
La magie	857	Les funambules	674
La jonglerie	692	Le monocycle	783
La bicyclette	868	Les échasses	805

a) Représente chaque nombre avec ton matériel de manipulation.

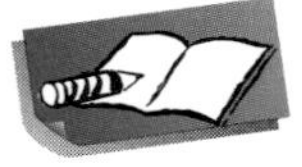

b) Écris les nombres qui sont inférieurs à 822.

c) Écris les nombres pairs.

d) Écris le nombre dont la somme des chiffres est 20.

e) Ajoute une centaine à chacun des nombres du tableau.

f) Enlève deux dizaines à chacun des nombres.

g) Décompose trois des nombres de deux façons différentes.

3 Ajoute trois termes à chaque suite de nombres.

a) 856, 860, 864, 868, 872, …

b) 765, 760, 755, 750, 745, …

c) 904, 903, 906, 905, 908, …

4 Un journaliste a inventé un jeu pour te faire découvrir le nombre de sièges installés sous le chapiteau des clowns.

a) Place un jeton sur

1) le chiffre des dizaines et celui des unités dans le nombre 431 ;
2) le nombre qui représente la somme des trois chiffres dans le nombre 341 ;
3) le chiffre des dizaines dans 769 ;
4) le chiffre qui a la plus grande valeur dans 487 ;
5) le chiffre des centaines dans 927.

1	2	3
4	5	6
7	8	9

b) En formant le plus grand nombre possible avec les trois chiffres qui restent, tu connaîtras le nombre mystère. Quel est ce nombre ?

5 
On remet un nez de clown à chaque 10e personne qui franchit le tourniquet de la foire. Annie le franchit au numéro 785 et elle reçoit un nez de clown. Maxime en reçoit un au numéro 795. Écris le numéro des cinq prochaines personnes qui recevront un nez de clown.

a) Trouve les diverses sommes d'argent qu'a rapportées la vente des billets aux heures suivantes.

Entre 13 h et 14 h	Entre 14 h et 15 h	Entre 15 h et 16 h
100, 100, 100, 50	100, 100, 100, 100	100, 100, 50, 20
100, 100, 100, 50	100, 100, 50, 50	100, 100, 50, 20
100, 100, 50, 10	50, 50, 20, 20	100, 100, 50, 10

b) Combien de centaines de dollars y a-t-il en tout ?

Je suis capable

a) Choisis un nombre supérieur à 600, mais inférieur à 1000.

1) Représente ce nombre dans ton cahier en utilisant la décomposition de ton choix.
2) Écris le nombre que tu obtiendrais si tu ajoutais une dizaine à ce nombre.

3) Demande à un ou à une camarade de découvrir le nombre que tu as choisi.

b) Refais cette activité plusieurs fois en choisissant d'autres nombres.

Voici des nombres naturels ainsi que le nombre naturel qui précède et qui suit chacun d'eux.

Juste avant		Juste après
99 →	**100** →	101
199 →	**200** →	201
299 →	**300** →	301
399 →	**400** →	401
499 →	**500** →	501
599 →	**600** →	601
699 →	**700** →	701
799 →	**800** →	801
899 →	**900** →	901
999 →	**1000** →	1001

Je réinvestis

Les décompositions de nombres ci-dessous indiquent le nombre de personnes qui ont assisté au spectacle des funambules au cours de la semaine.

a) Trouve chacun des nombres.

b) Représente ces nombres sur un diagramme à bandes.

Dimanche	Lundi	Mardi	Mercredi	Jeudi	Vendredi	Samedi
50 900	Relâche	300 150	500 50	500 200	50 600	500 200 250

Le savais-tu ?

En Égypte, au temps des pharaons, on représentait les nombres par les symboles suivants :

- le nombre 1, par un petit trait vertical ;
- le nombre 10, par un signe en forme de fer à cheval ;

- le nombre 100, par une spirale ;
- le nombre 1000, par une fleur de lotus.

Ce que j'ai appris me permet de représenter et de lire des informations sur un diagramme à bandes.

Et toi ?

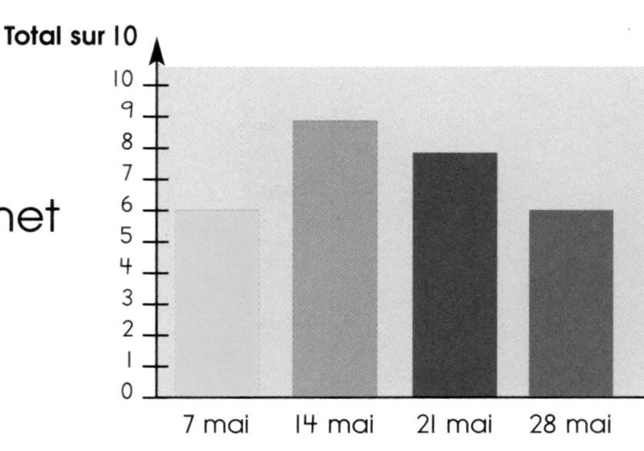

Au marché d'alimentation

En général, les fruits sont distribués dans des caisses. La grosseur indiquée sur les caisses correspond au nombre de fruits que celles-ci contiennent.

Quel comptoir contient le plus de fruits ?

Je m'entraîne

Le symbole **g** signifie « gramme ».

Certains aliments se vendent selon leur masse (**g**).

a) Représente chaque nombre de grammes avec ton matériel de manipulation.

b) Ajoute une centaine à chaque nombre.

c) Enlève une dizaine à chaque nombre.

d) Trouve l'aliment qui pèse 50 grammes de plus que les saucisses.

e) Trouve l'aliment qui pèse 34 grammes de moins que la laitue coupée.

f) Combien de grammes y a-t-il dans

1) deux boîtes de céréales ?
2) deux paquets de fromage en tranches ?
3) trois boîtes de barres de céréales ?
4) trois boîtes de craquelins ?
5) deux paquets de saucisses ?
6) deux sachets de mélange à soupe ?
7) quatre contenants de yogourt ?

Certains aliments se vendent au volume (**ml**).

a) Place un jeton rouge sur les contenants de plus de 300 **ml**.

b) Place un jeton bleu sur ceux de moins de 300 **ml**.

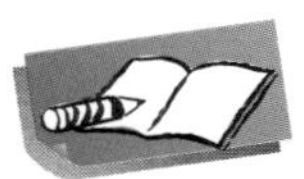

c) Combien de millilitres y a-t-il dans

1) deux bouteilles de ketchup ?

2) deux boîtes de soupe ?

3) deux boîtes de maïs en crème ?

4) trois bouteilles de jus de légumes ?

5) quatre boîtes de salade de fruits ?

d) Observe les contenants de jus ci-dessous.

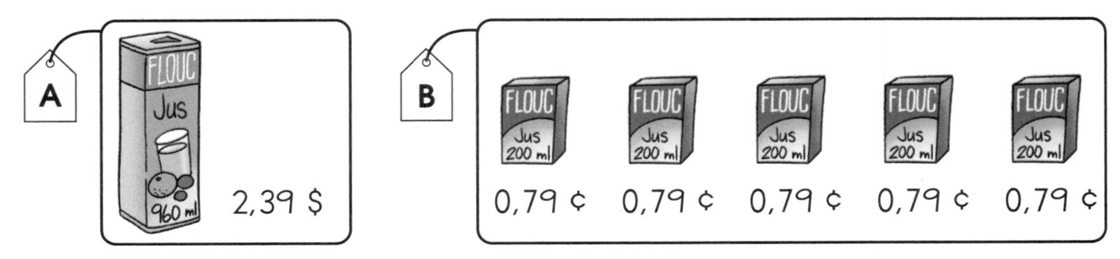

1) Quel ensemble choisirais-tu pour avoir le plus de jus possible ?

2) Selon toi, quel achat est le plus avantageux ?

Je suis capable

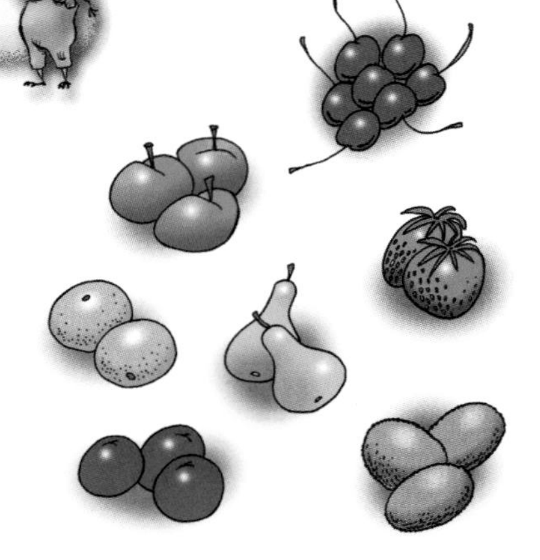

Dans le cadre d'un Festifruits, Stéphane a fait les achats suivants.

1er achat	2e achat
• 4 caisses de 100 • 2 caisses de 10 • 5 unités	• 2 caisses de 100 • 9 caisses de 10 • 2 unités

a) Représente le nombre de fruits achetés dans chaque cas.

b) Combien de fruits Stéphane a-t-il achetés en tout ?
Écris l'égalité correspondante.

c) Compare ton égalité avec celle de tes camarades.

Voici deux façons d'additionner des nombres supérieurs à 100 entraînant une retenue.

1) Par manipulation.

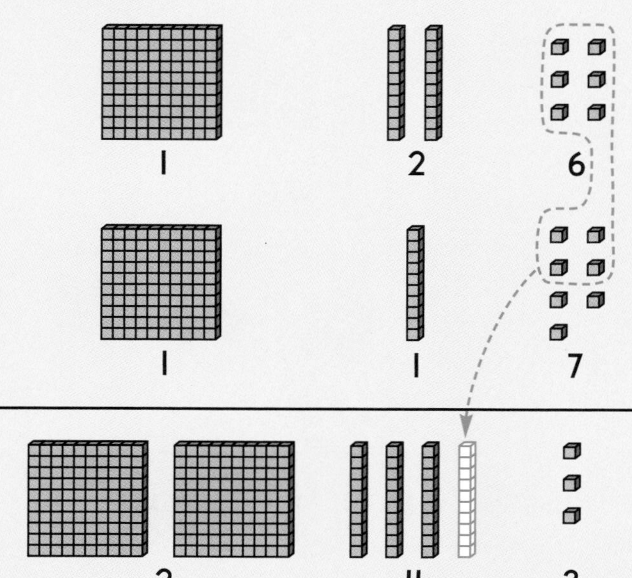

2) Par une opération.

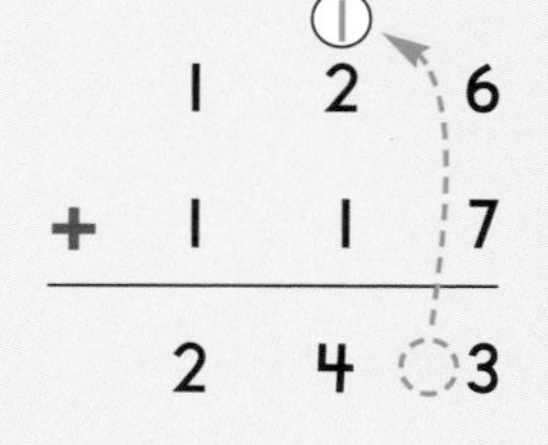

Je réinvestis

1

a) En utilisant ton matériel de manipulation, trouve le nombre total de fruits que contiennent les quatre comptoirs de la page 63.

b) Y a-t-il plus ou moins que 1000 fruits ?

2

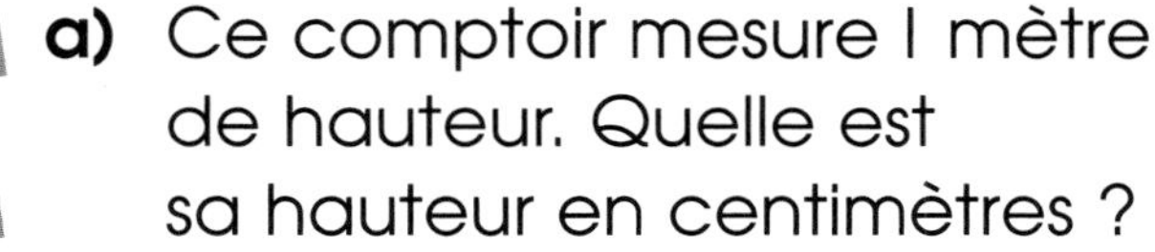

a) Ce comptoir mesure 1 mètre de hauteur. Quelle est sa hauteur en centimètres ?

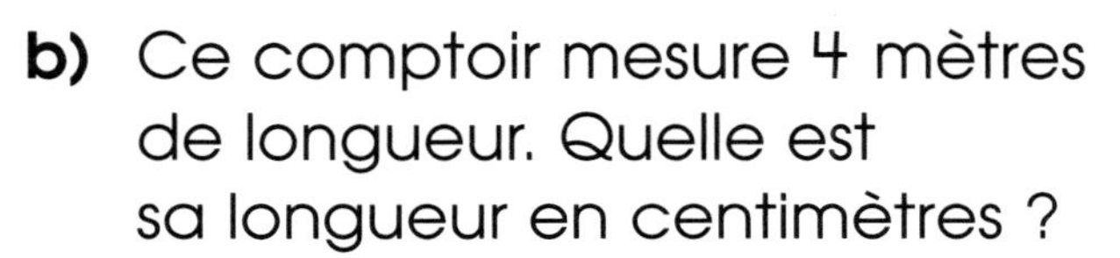

b) Ce comptoir mesure 4 mètres de longueur. Quelle est sa longueur en centimètres ?

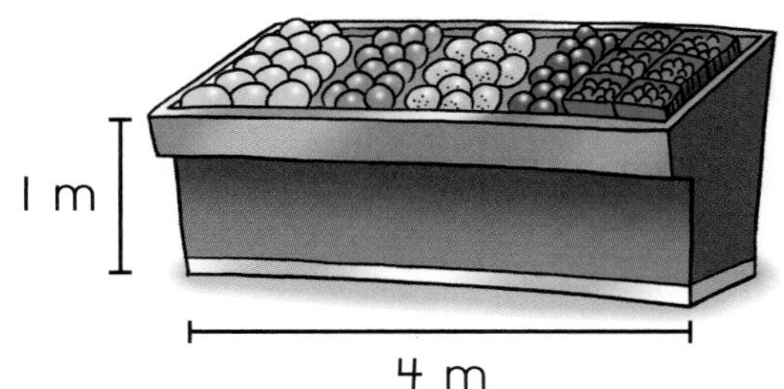

Le savais-tu ?

Dans le système international d'unités, la masse se mesure en grammes et en kilogrammes.
Dans le système anglo-saxon, elle se mesure en livres et en onces.

Selon le système international, le volume des aliments se mesure en litres et en millilitres.
Selon le système anglo-saxon, il se mesure en onces et en pintes.

Dans ma vie

Ce que j'ai appris me permet

- de savoir que certains aliments se vendent selon leur masse (grammes) et d'autres selon leur volume (millilitres) ;
- de comparer des quantités ;
- de choisir la meilleure offre dans une publicité.

Et toi ?

Une belle détente

En partageant les figures planes de la série B en quarts, combien de fleurs différentes pourrais-tu former ?

Je m'entraîne

1 Lis chaque énoncé et place un jeton sur les intrus.

a) En partageant un cercle en quarts, Shadi a formé les feuilles de son arbre.

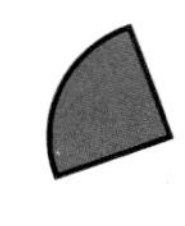

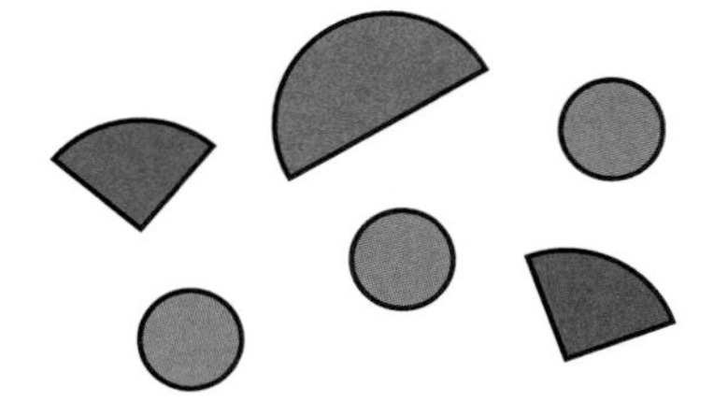

b) En partageant un carré en quarts, Élisa a formé un poisson.

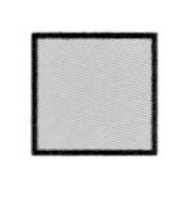
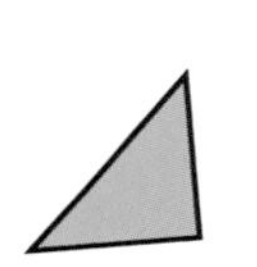
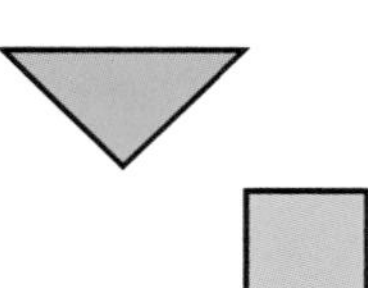

2 **a)** Dessine un demi de chaque groupe d'objets.

1) 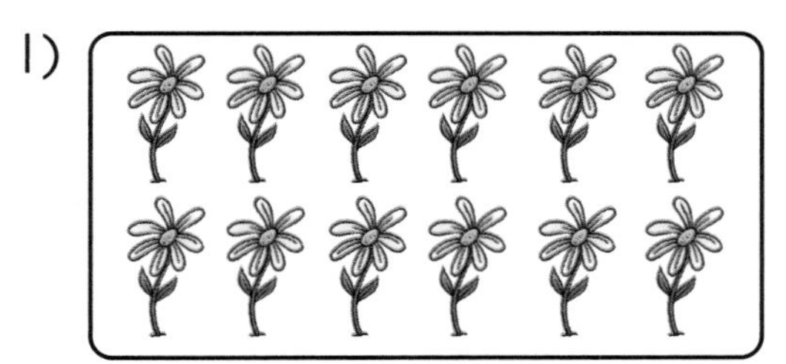

2) 

b) Dessine un quart de chaque groupe d'objets.

1) 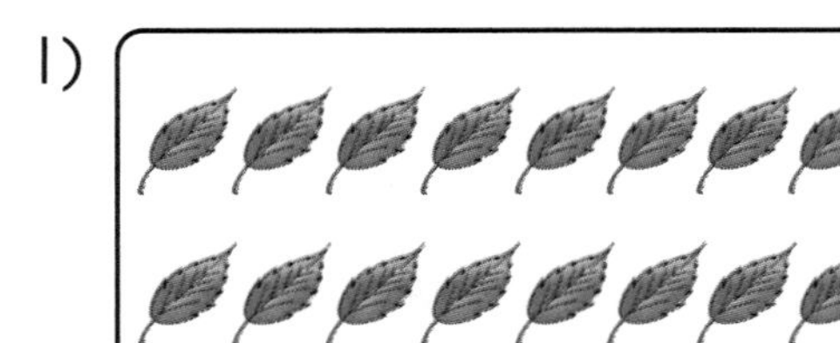

2) 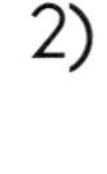
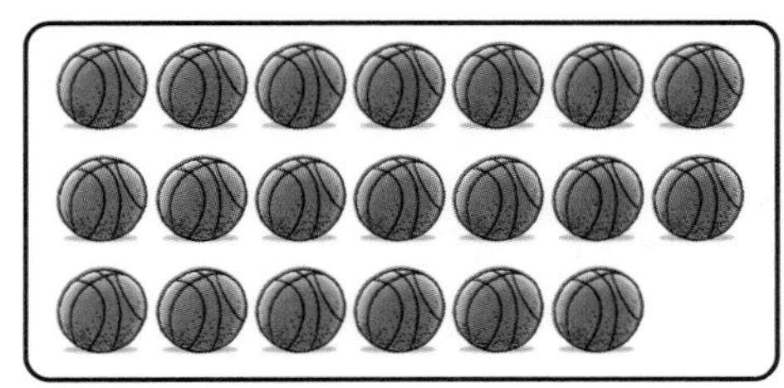

3 En utilisant 24 petits cercles, Vladimir a formé 4 fleurs. Chacune des fleurs comprend le même nombre de cercles.

a) Combien de cercles y a-t-il dans chacune des fleurs ?

b) Dessine une de ces fleurs dans ton cahier.

a) Identifie la partie colorée de chacune des figures ci-dessous en écrivant $\frac{1}{4}$ ou $\frac{1}{2}$ dans ton cahier.

1)

4) 

7) 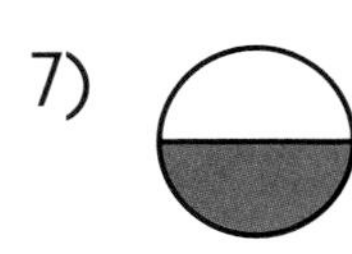

2) 

5) 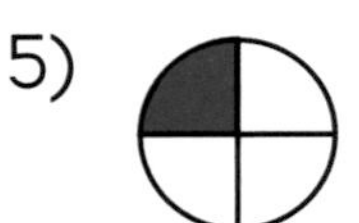

8) 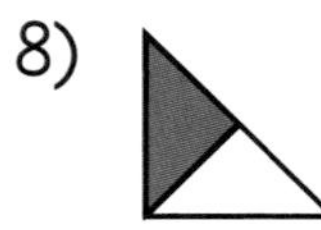

3) 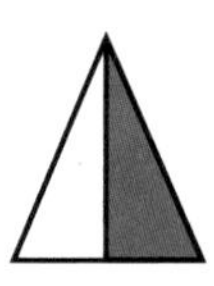

6) 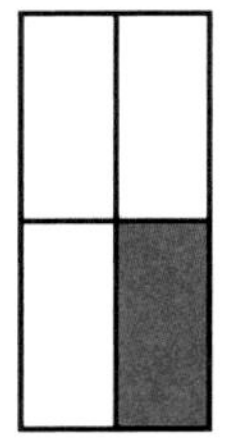

9) 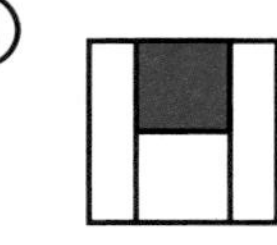

b) 1) Dans ton cahier, dessine un diagramme d'Euler-Venn et classes-y les figures ci-dessus en écrivant le numéro de chacune au bon endroit.

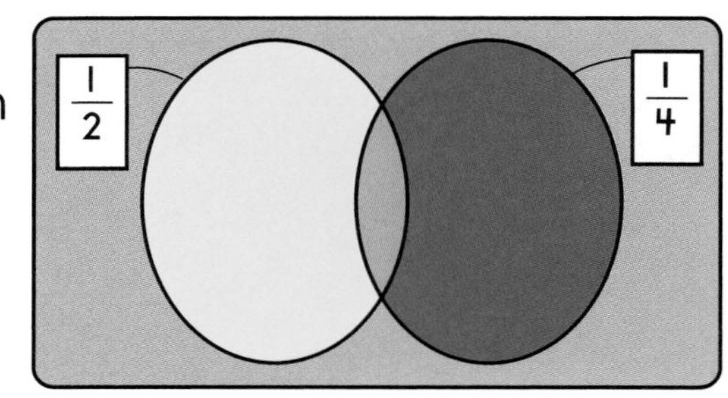

Diagramme d'Euler-Venn

2) Que remarques-tu ?

5 Place un jeton sur la fraction qui représente la partie colorée de chacune des figures ci-dessous.

a) 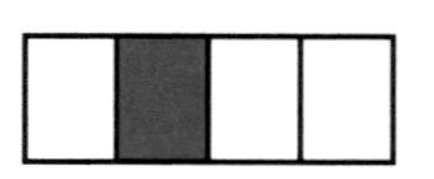

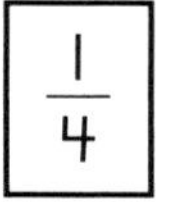
$\frac{1}{2}$ $\frac{1}{4}$

b) 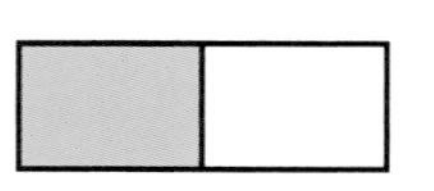

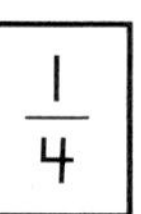
$\frac{1}{2}$ $\frac{1}{4}$

c) 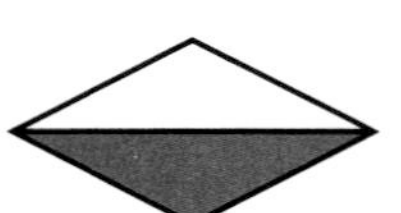

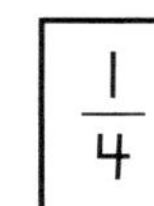
$\frac{1}{2}$ $\frac{1}{4}$

d) 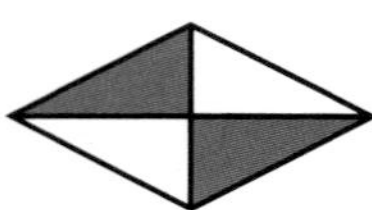

$\frac{1}{4}$ $\frac{2}{4}$

Je suis capable

Hugo et Laurie ont chacun une galette à l'avoine .
Hugo a mangé un demi de la sienne
et Laurie, un quart.

a) Qui en a mangé le plus ?

b) Représente ta solution.

c) Compare ta solution avec celle d'un ou d'une camarade.

Voici des façons de reconstituer un tout à l'aide de parties équivalentes.

On peut former un tout en utilisant deux parties équivalentes d'une même figure plane.

Avec deux , on peut former un .

Avec deux , on peut former un .

Avec deux , on peut former un .

Avec deux , on peut former un .

On peut former un tout en utilisant quatre parties équivalentes d'une même figure plane.

Avec quatre , on peut former un .

Avec quatre , on peut former un .

Avec quatre , on peut former un .

Avec quatre , on peut former un .

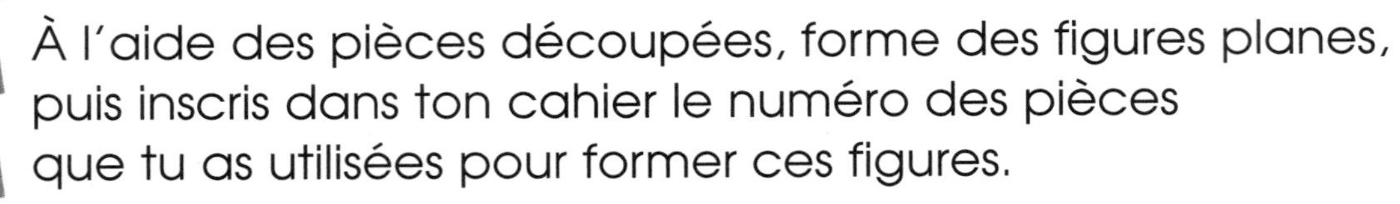

Je réinvestis

Découpe toutes les pièces sur la feuille qu'on te remet.

À l'aide des pièces découpées, forme des figures planes, puis inscris dans ton cahier le numéro des pièces que tu as utilisées pour former ces figures.

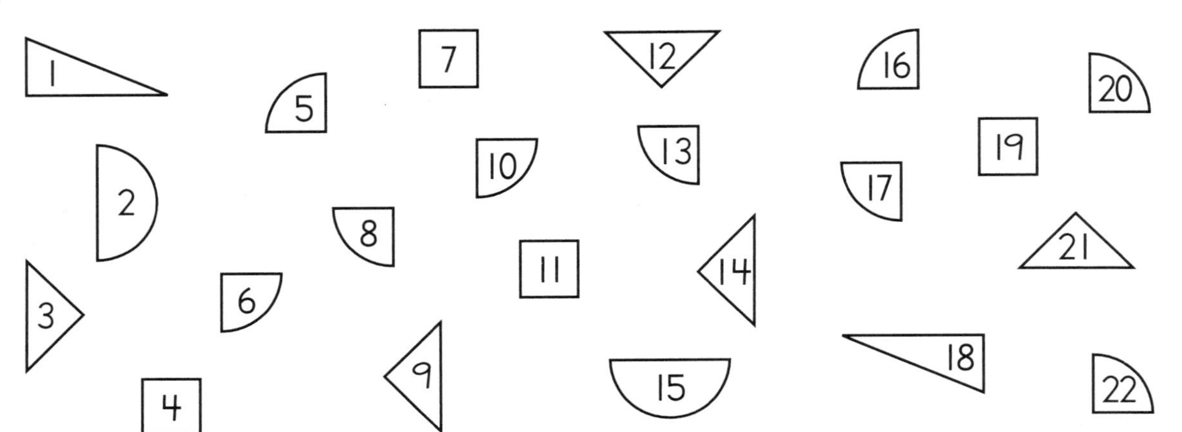

Le savais-tu ?

Le diagramme d'Euler-Venn doit son nom à Leonhard Euler et à John Venn. Leonhard Euler était un mathématicien suisse. Il a écrit de nombreux ouvrages de mathématique, de science et d'astronomie. En 1881, John Venn avait déjà commencé à représenter des ensembles en traçant des formes courbes.

Dans ma vie

Ce que j'ai appris peut m'aider à partager une pizza ronde, un gâteau carré ou une pointe triangulaire selon le nombre de personnes.

Et toi ?

Au Centre Bon air

Chaque année, je compare le nombre de personnes venues au Centre Bon air avec celui de l'année précédente.

Hiver : classes de neige			
Année	Janvier	Février	Mars
L'an dernier	428	767	956
Cette année	581	849	893

Printemps : classes vertes			
Année	Avril	Mai	Juin
L'an dernier	668	537	549
Cette année	573	752	877

Été : classes fleuries			
Année	Juillet	Août	Septembre
L'an dernier	927	934	759
Cette année	945	918	593

Automne : classes rouges			
Année	Octobre	Novembre	Décembre
L'an dernier	628	459	609
Cette année	746	573	587

Durant quel mois de cette année M. Dubois a-t-il accueilli le plus de personnes par rapport à l'an dernier ?

Je m'entraîne

On peut transformer
1 centaine en 10 dizaines.

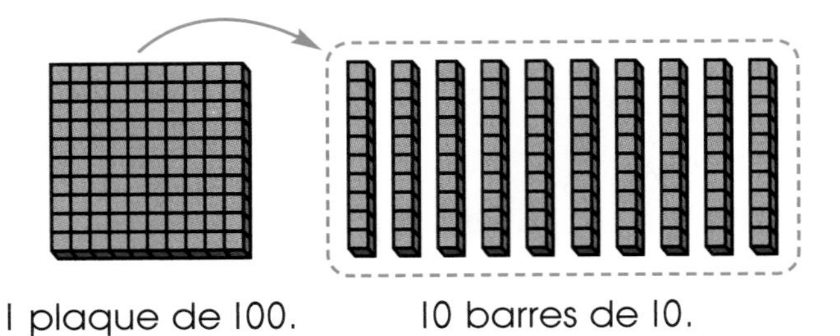

1 plaque de 100. 10 barres de 10.

De la même façon, on peut
transformer 1 dizaine en
10 unités.

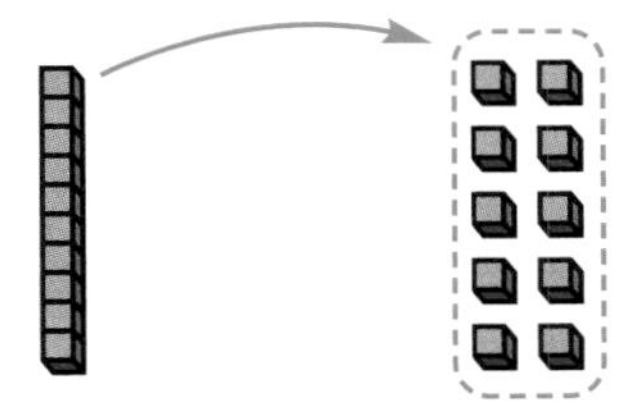

1 barre de 10. 10 unités.

Au début d'une classe de neige, les personnes logeant dans chaque pavillon doivent rassembler 250 bûches pour les feux de foyer et les feux de camp.

a) Observe le nombre de bûches déjà rassemblées et représente celles qui manquent à l'aide de ton matériel multibase.

Pavillons	Bûches rassemblées
Clair matin	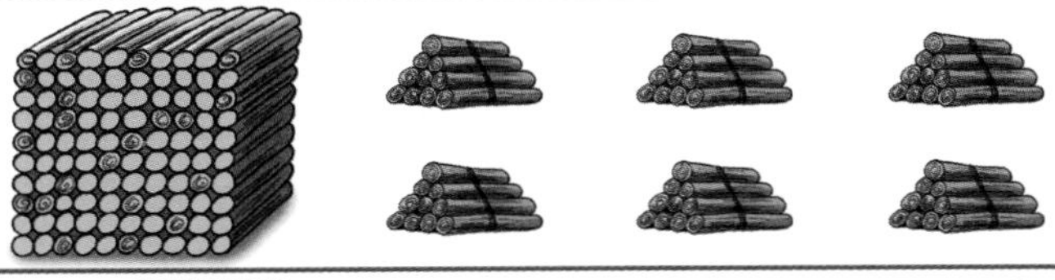
Soleil de feu	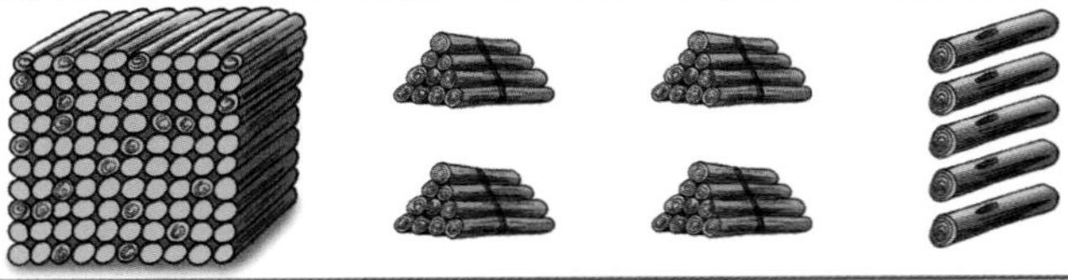
Nuit étoilée	

b) Écris les égalités correspondantes.

Le Centre Bon air propose un jeu mathématique aux vacanciers et aux vacancières. Utilise la feuille qu'on te remet.

a) Résous les équations suivantes.

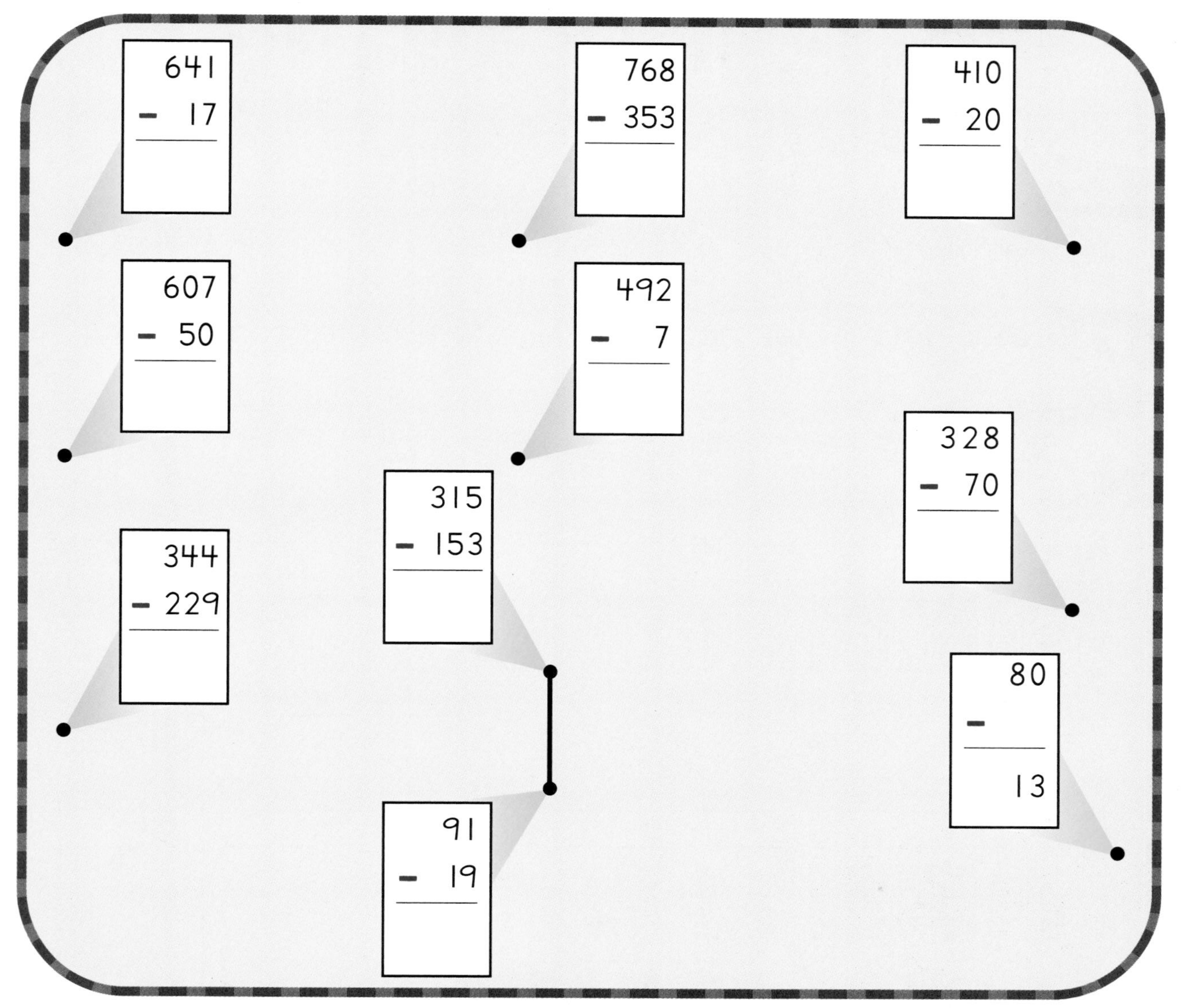

b) Après avoir terminé tes calculs, demande à ton enseignante ou à ton enseignant de vérifier tes réponses.

c) S'il y a lieu, corrige tes erreurs à l'aide de la calculatrice.

d) Relie les points selon l'ordre croissant de tes réponses. Tu découvriras ainsi le nom d'une des équipes.

Je suis capable

Observe la représentation du nombre ci-dessous.

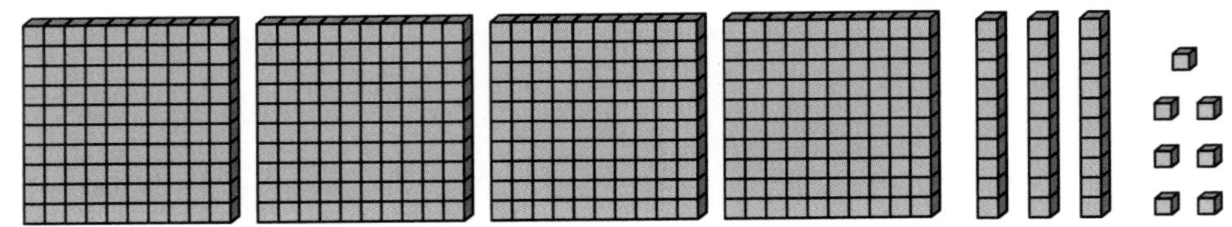

a) Trouve ce nombre et écris-le dans ton cahier.

b) Enlèves-y 55 unités et représente le nombre obtenu.

c) Écris l'égalité correspondante.

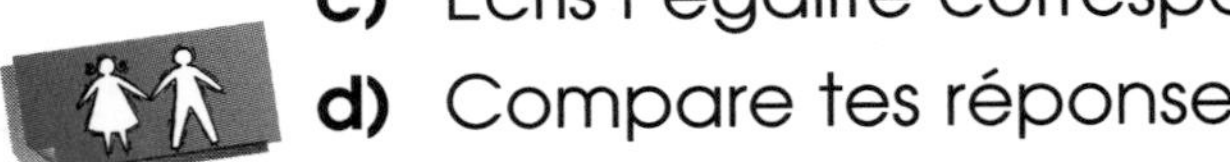

d) Compare tes réponses avec celles de tes camarades.

Clic

Voici deux exemples de soustractions avec des centaines et nécessitant un emprunt.

1)

c	d	u

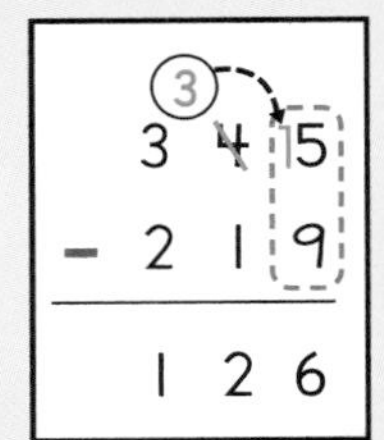

345 – 219 = 126

2)

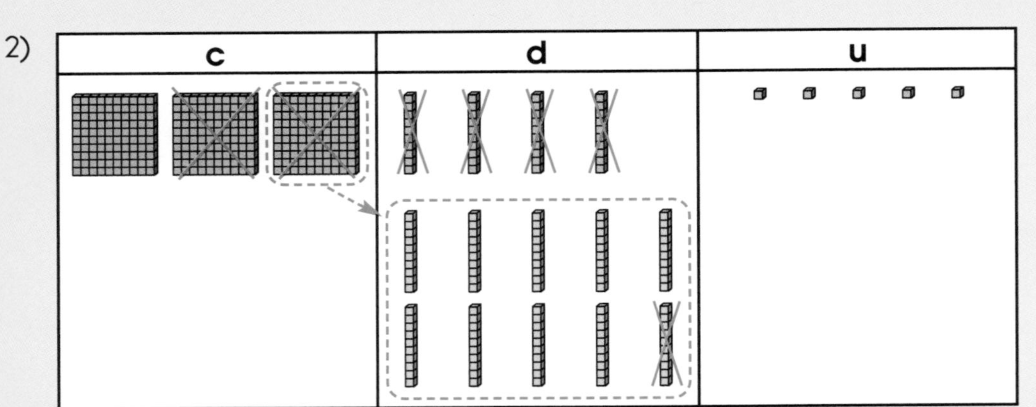

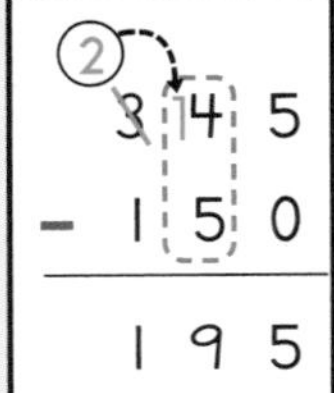

345 – 150 = 195

Je réinvestis

Trois équipes de trois personnes participent à une course à relais. Chaque équipe doit parcourir 285 mètres.

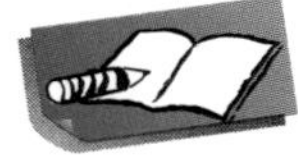

En observant la distance parcourue par les deux premières personnes de chaque équipe, trouve la distance que doit parcourir la troisième.

Noms des équipes	1re personne	2e personne	3e personne	Distance totale
Équipe des cerfs	77 m	92 m		285 m
Équipe des caribous	92 m	108 m		285 m
Équipe des élans	119 m	108 m		285 m

Le savais-tu ?

Chez le peuple sumérien, il y a plus de 4000 ans, on représentait les nombres de la façon ci-contre.

Pour représenter d'autres nombres, il fallait employer le symbole ⌐, qui signifie « moins ».

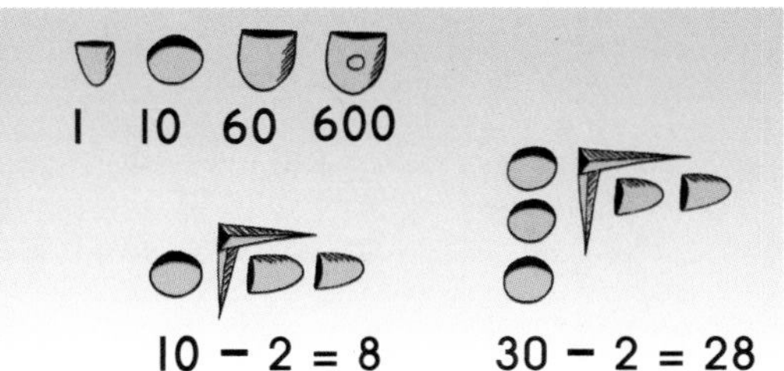

Ce que j'ai appris me permet de trouver la différence entre deux nombres comprenant une ou plusieurs centaines.

Et toi ?

Un bel anniversaire

Combien d'objets de chaque sorte les parents de Caroline ont-ils dû acheter ?

Je m'entraîne

Au début de la journée, nous avons formé deux équipes pour participer aux épreuves suivantes.

1re épreuve : le jeu des anneaux.

a) Combien de personnes y a-t-il dans chaque équipe ?

b) Chaque personne lance cinq anneaux, et chaque lancer réussi donne un point.

1) En faisant une addition et une multiplication, trouve le nombre de points que chaque équipe peut obtenir si tous ses membres réussissent à enfiler leurs cinq anneaux.

2) Observe les résultats ci-dessous et place un jeton sur le nom de l'équipe qui a enfilé le plus d'anneaux.

Équipe des koalas			
4	3	5	3

Équipe des kangourous			
4	4	4	4

2e épreuve : le jeu de mime.

On a placé 24 billets dans un sac. Sur chacun, une action comique à mimer est écrite. À tour de rôle, chaque membre des deux équipes tire un billet et exécute le mime approprié.

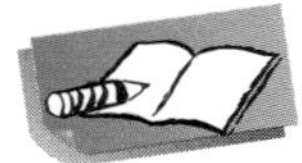

Si les enfants font tous les mimes, détermine combien de billets chacun ou chacune tirera.

3e épreuve : des déguisements saugrenus.

Chaque enfant doit choisir un des chapeaux et un des habillements ci-dessous.

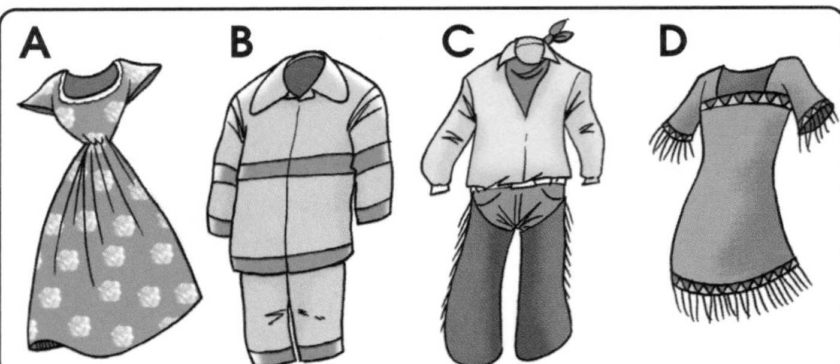

a) Combien de combinaisons différentes les enfants peuvent-ils et elles faire ?

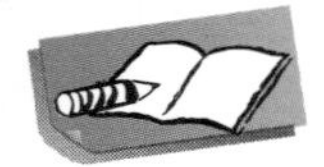

b) Représente les différentes combinaisons possibles.

c) Représente ta solution à l'aide d'une opération.

4e épreuve : la course à cloche-pied.

Cette course se déroule sur un parcours de trois mètres. Chaque enfant doit effectuer le trajet deux fois aller-retour.

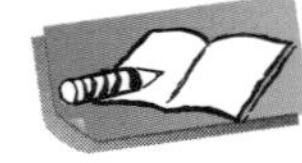

a) Combien de mètres chaque enfant parcourra-t-il ou elle ?

b) Représente ta solution par une addition répétée et par une multiplication.

5e épreuve : des ballons à gonfler.

Il y a en tout 32 ballons à gonfler.

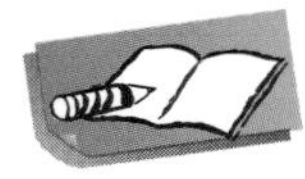

Si chaque enfant gonfle le même nombre de ballons, combien chacun ou chacune en gonflera-t-il ou elle ?

Je suis capable

6e épreuve : un joli dessert.

Chaque enfant doit décorer un petit gâteau pour le lunch, en partageant avec les autres 24 raisins secs et 16 fraises.

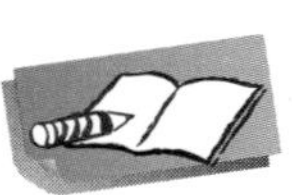

a) Détermine combien de fruits de chaque sorte chaque enfant recevra.

b) Représente ta solution.

c) Compare ta solution avec celle de tes camarades.

Clic

Pour compter plusieurs fois le même nombre d'objets, on peut effectuer une multiplication. Cette opération est plus rapide que l'addition répétée.

Exemple : Voici comment compter 3 paquets de 4 arachides chacun.

1) Addition répétée.

$\underbrace{4 + 4 + 4}_{\text{3 fois}} = 12$

2) Multiplication.

$3 \times 4 = 12$

Pour partager un nombre d'objets en parties équivalentes, on peut effectuer une division.

Exemple : Voici comment partager 12 arachides en 3 paquets.

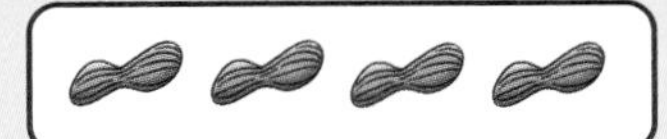

1er paquet

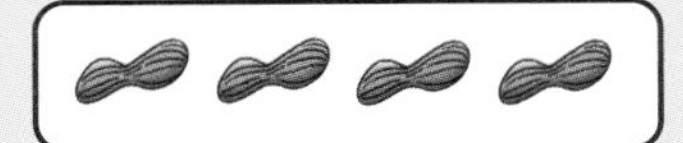

2^{e} paquet

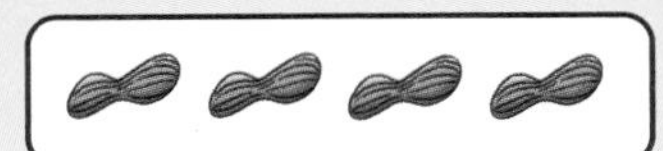

3e paquet

Si l'on divise 12 arachides en 3 paquets, chacun aura 4 arachides.

$12 \div 3 = 4$

Je réinvestis

7e épreuve : l'heure du lunch.

Les camarades de Caroline ont préparé sept sandwichs au jambon, qu'elle a coupés en quarts.

a) Combien de morceaux a-t-elle obtenus ?

b) Peut-elle répartir également ces morceaux entre les huit enfants ?

c) Représente ta solution.

Le savais-tu ?

Pour multiplier, les Sumériens et les Sumériennes faisaient des additions répétées des symboles des nombres.

Exemples : 4 fois 10

$4 \times 10 = 40$

4 fois 60

$4 \times 60 = 240$

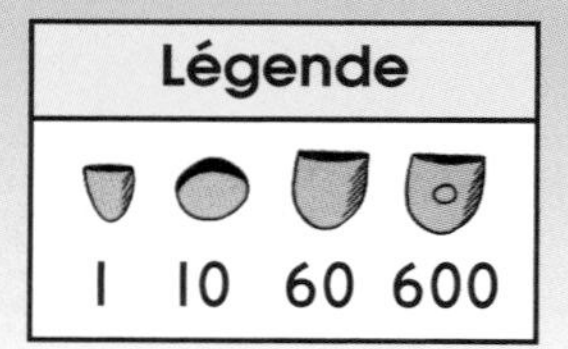

Ce que j'ai appris me permet de constater qu'en multipliant, je peux calculer plus rapidement.

Et toi ?

SITUATION 35 Le supertangram

Stanislav a-t-il utilisé les neuf pièces du supertangram ?

Je m'entraîne

Utilise les neuf pièces du supertangram pour résoudre les problèmes suivants.

a) Classifie les pièces dans deux ensembles distincts. Identifie les deux ensembles à l'aide d'étiquettes.

Exemple :

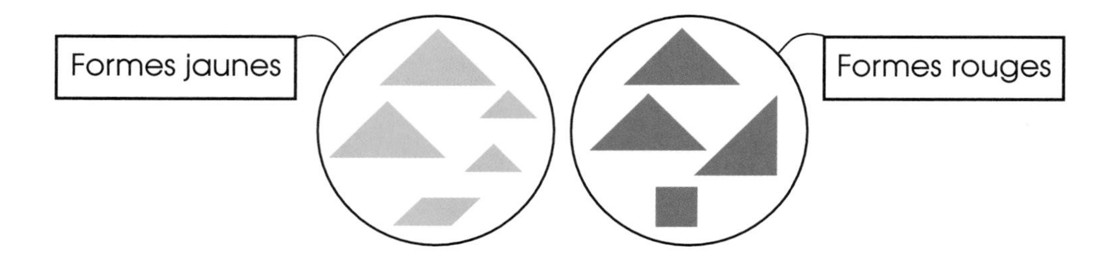

b) Classifie les pièces dans trois ensembles distincts. Identifie chacun des ensembles à l'aide d'étiquettes.

c) Forme un carré et trace-le dans ton cahier.

1) Combien de pièces as-tu utilisées ?

2) Trace chacune des figures que tu as utilisées.

d) Forme deux rectangles selon les consignes suivantes, puis trace-les dans ton cahier.

1) Forme le premier en utilisant le moins de pièces possible.

2) Forme le second en utilisant le plus de pièces possible.

e) Forme un poisson et traces-en le contour dans ton cahier. Combien de pièces as-tu utilisées ?

2 Voici un arbre qui pousse sur la planète Zucton.

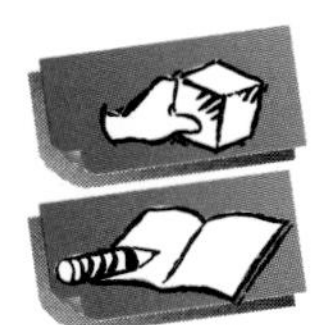

a) Reproduis cet arbre avec les pièces du supertangram.

b) Trace dans ton cahier chacune des figures et écris combien tu en as utilisé de chaque sorte.

c) Transforme l'arbre en enlevant une ou plusieurs pièces.

d) Trace dans ton cahier le contour de ce nouvel arbre.

Je suis capable

Réalise un dessin en utilisant toutes les pièces du supertangram.

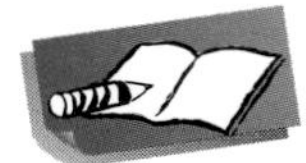

a) Trace dans ton cahier le contour de ton dessin.

b) Demande à un ou à une camarade de reproduire ton dessin avec les pièces du supertangram.

c) Reproduis le dessin de ton ou de ta camarade.

d) Compare ton dessin avec celui d'autres camarades.

Le savais-tu ?

Le tangram a pour origine le casse-tête chinois, qui comprend cinq triangles, un carré et un parallélogramme. Avec ces sept pièces, on peut former un carré. Le tangram à sept pièces est encore utilisé aujourd'hui.

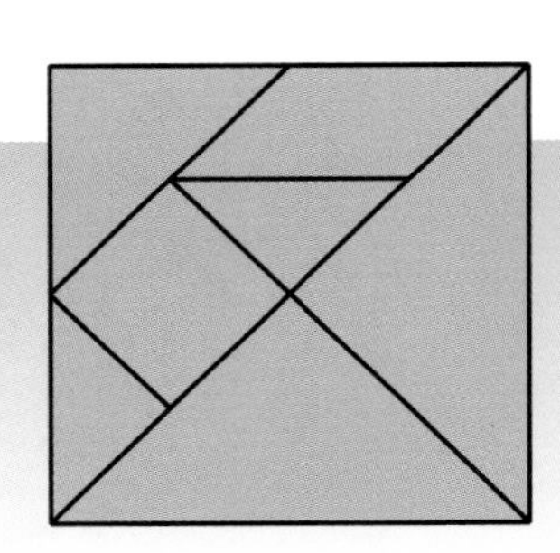

Clic

Le tangram original comprend sept pièces.

     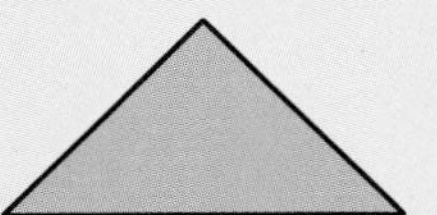 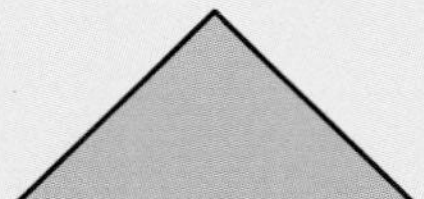

Avec ces pièces, on peut former des figures planes ou représenter des personnes, des animaux et des objets de toutes sortes.

On peut essayer de reproduire des modèles ou inventer ses propres assemblages.

Je réinvestis

Avec un ou une camarade et à l'aide de deux jeux de supertangram réunis, représente une maison de la planète Zucton en utilisant le plus de pièces possible.

a) Trace sur une feuille le contour de la maison.

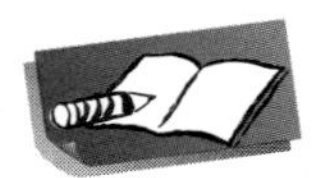

b) Dans ton cahier, écris le nombre de côtés de la maison.

c) Indique le nombre de pièces que vous avez utilisées.

d) Trace la ou les pièces que vous n'avez pas utilisées.

e) Demande à une autre équipe de reproduire votre maison avec ses jeux de supertangram.

Ce que j'ai appris me permet

- de jouer avec des figures planes pour former d'autres figures et des dessins ;
- de cultiver mon imagination et ma patience.

Et toi ?

La journée spéciale

Quelles sont les tâches à exécuter pour organiser la journée spéciale ?

Tu peux réaliser les activités 1 à 4 dans ta classe.

Activité 1 : Le jeu des solides

Les élèves de Monique ont apporté en classe des contenants qu'ils et elles ont trouvés à la maison. Ils et elles les ont recouverts de papier ou de carton, puis ils et elles les ont décorés.

Observe les réalisations de certains et de certaines élèves.

a) Dessine les formes du papier ou du carton utilisé pour recouvrir les contenants.

1) Combien de carrés y a-t-il en tout ?

2) Combien de rectangles y a-t-il en tout ?

3) Combien de cercles y a-t-il en tout ?

b) À partir de quels contenants pourrais-tu fabriquer le solide de Steve ?

c) Quelles figures planes Valérie a-t-elle utilisées pour décorer son solide sur

1) la façade ? 2) le dessus ? 3) le côté ?

d) Dans le jeu des solides, chaque élève décrit son solide à l'aide de termes mathématiques. Celui ou celle qui l'identifie décrit ensuite le sien.

1) Décris un des solides de la page 89 à un ou à une camarade.
2) Demande-lui de l'identifier.
3) Changez de rôle.

Activité 2 : La décoration

Les élèves de Monique veulent suspendre leurs solides pour décorer la classe. Pour ce faire, ils et elles ont mesuré la longueur et la largeur de la classe.

a) La longueur de la classe est de 12 mètres. Quelle est la largeur si elle correspond à la moitié de la longueur ?

b) Si l'on suspend les solides à chaque deux mètres, en une rangée, combien y en aura-t-il sur le sens
1) de la largeur ? 2) de la longueur ?

2 Les élèves veulent attacher leurs solides à l'aide de ficelles de différentes longueurs, de la façon suivante.

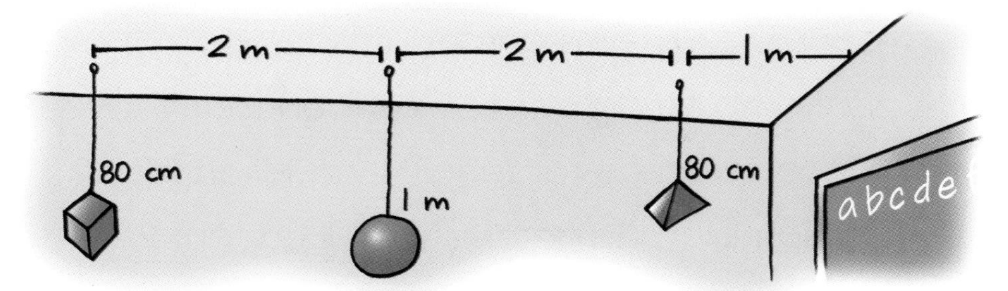

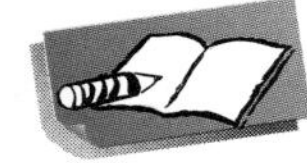

a) Dans une rangée, sur la longueur de la classe, combien y aura-t-il de ficelles
1) de 80 centimètres ? 2) de 1 mètre ?

b) Combien de mètres de ficelle faudra-t-il en tout pour former une rangée sur la largeur et une rangée sur la longueur de la classe ?

Activité 3 : Le jeu des maths

Les élèves ont préparé un jeu-questionnaire pour la journée spéciale. Réponds à leurs questions dans ton cahier.

a) Quelle est la somme de 48 et 24 ?

b) Quel solide peut-on construire en utilisant 1 ■ et 4 △ ?

c) Lorsque tu regardes vers le nord, où est situé le sud ?

d) À 9 **h** 45, où sont situées les aiguilles sur le cadran ?

e) Si tu partages deux pommes en quarts, combien de morceaux auras-tu ?

f) Quelle est la somme de 143 et 329 ?

g) Résous l'équation suivante : 499 – ▭ = 175.

h) Combien de centimètres y a-t-il dans trois mètres ?

i) Tu as huit sacs qui contiennent quatre jetons chacun. Combien de jetons as-tu en tout ?

j) Décompose le nombre 954 de deux façons différentes.

k) Trouve trois nombres dont la somme est 18.

l) Trouve le nombre composé de 3 dizaines, 5 centaines et 9 unités.

m) Combien de centimètres y a-t-il dans sept décimètres ?

Activité 4 : L'enquête sur l'activité préférée

Les élèves voulaient prévoir une autre activité pour la journée spéciale. Les activités ci-dessous ont été proposées. Pour déterminer laquelle choisir, une enquête a été menée. Chaque élève précisait ses deux activités préférées. Voici les résultats de cette enquête.

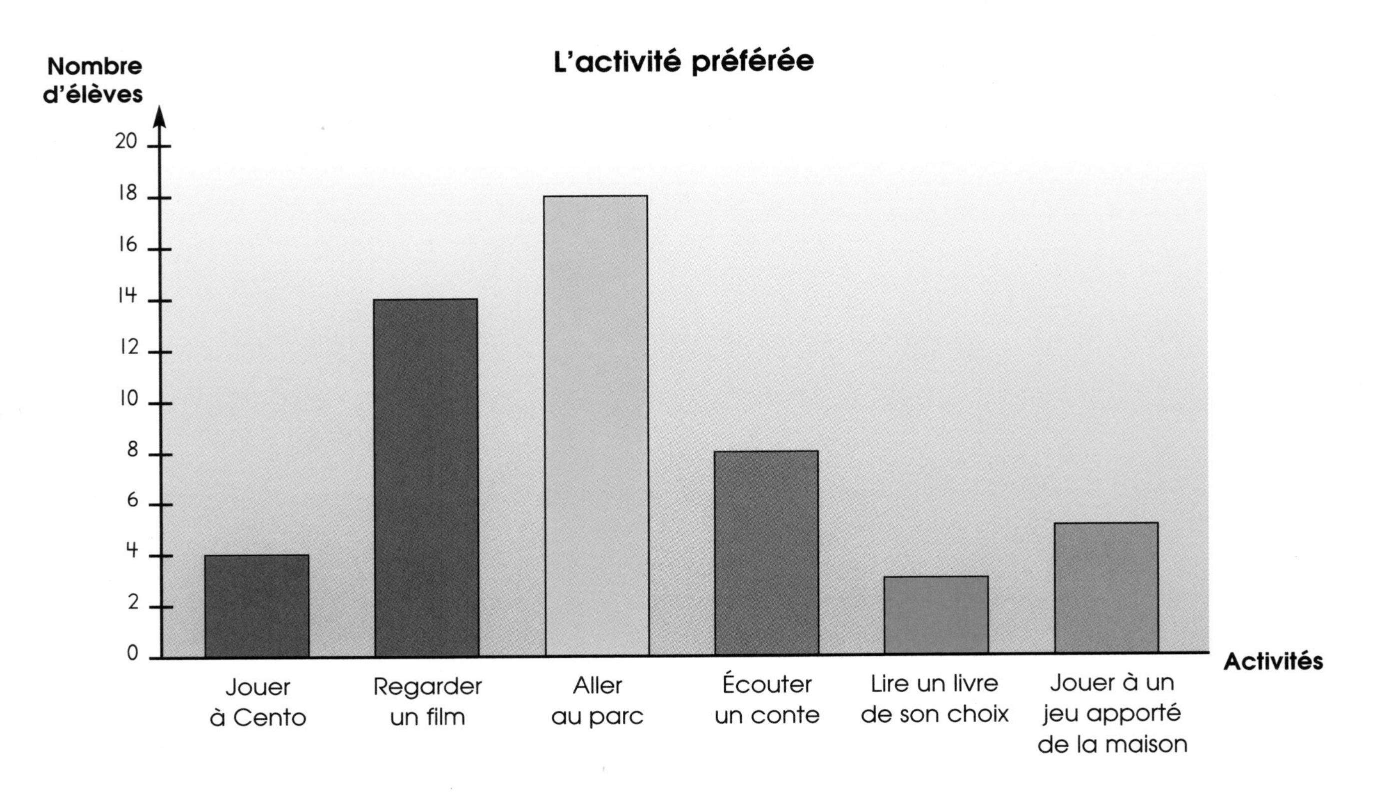

a) Quelle est l'activité

1) la plus populaire ?

2) la moins populaire ?

b) Place les activités dans l'ordre décroissant de popularité.

c) En cas de pluie, quelle activité aura lieu ce jour-là ?

d) Combien d'élèves y a-t-il dans la classe de Monique ?